Poder para mudar sua vida

RICK WARREN

Poder para mudar sua vida

12 lições para obter uma vida próspera com Deus

Vida

PODER PARA MUDAR SUA VIDA
© 1998, Rick Warren
Título do original
The Power to Change Your Life
Copyright da edição brasileira ©2007, 2011 Editora Vida
Edição publicada com permissão de Encouraging Word
(Mission Viejo, Califórnia, EUA).

Todos os direitos desta edição em língua portuguesa
reservados e protegidos por Editora Vida pela
Lei 9.610, de 19/02/1998.

É proibida a reprodução desta obra por quaisquer meios
(físicos, eletrônicos ou digitais), salvo em breves citações,
com indicação da fonte.

∎

Exceto em caso de indicação em contrário,
todas as citações bíblicas foram extraídas de
Nova Versão Internacional (NVI)
© 1993, 2000, 2011 by International Bible Society, edição
publicada por Editora Vida. Todos os direitos reservados.

Todas as citações bíblicas e de terceiros foram adaptadas
segundo o Acordo Ortográfico da Língua Portuguesa,
assinado em 1990, em vigor desde janeiro de 2009.

∎

As opiniões expressas nesta obra refletem o ponto de vista
de seus autores e não são necessariamente equivalentes às
da Editora Vida ou de sua equipe editorial.

Os nomes das pessoas citadas na obra foram alterados nos
casos em que poderia surgir alguma situação embaraçosa.

Todos os grifos são do autor, exceto indicação em contrário.

Editora Vida
Rua Conde de Sarzedas, 246 — Liberdade
CEP 01512-070 — São Paulo, SP
Tel.: 0 xx 11 2618 7000
atendimento@editoravida.com.br
www.editoravida.com.br
@editora_vida /editoravida

Editor responsável: Marcelo Smargiasse
Editor-assistente: Gisele Romão da Cruz
Editor de qualidade e estilo: Sônia Freire Lula Almeida
Tradução: Yolanda M. Krievin
Revisão de tradução: Denise Avalone
Revisão do Acordo Ortográfico: Equipe Vida
Revisão de provas: Patrícia Murari e Lilian Jenkino
Projeto gráfico e diagramação: Karine dos Santos Barbosa
Capa: Arte Peniel

1. edição rev. e atual.: fev. 2007

1ª reimpr.: mar. 2010
2ª reimpr.: jan. 2012
3ª reimpr.: jul. 2012
4ª reimpr.: ago. 2012
5ª reimpr.: out. 2012
6ª reimpr.: jan. 2019
7ª reimpr.: out. 2019
8ª reimpr.: ago. 2020
9ª reimpr.: out. 2020
10ª reimpr.: mar. 2021
11ª reimpr.: maio 2023
12ª reimpr.: nov. 2024

Dados Internacionais de Catalogação na Publicação (CIP)
(Câmara Brasileira do Livro, SP, Brasil)

Warren, Rick
  Poder para mudar sua vida: 12 lições para obter uma vida próspera com Deus / Rick Warren; tradução Yolanda M. Krievin. — Ed. rev. e atual. — São Paulo: Editora Vida, 2007.

  Título original: *The Power to Change Your Life*.
  ISBN 978-85-7367-987-8

  1. Fruto do espírito 2. Vida espiritual I. Título.

06-9086   CDD-248.4

Índices para catálogo sistemático:

1. Vida espiritual: Cristianismo   248.4

Sumário

{1}
O poder para transformar sua vida!   7

{2}
A participação de Deus e a minha na transformação   18

{3}
Tornando-se uma pessoa mais amorosa   31

{4}
A decisão de regozijar-se!   43

{5}
Vida pacífica em um mundo hostil   53

{6}
Desenvolvendo sua paciência   65

{7}
Demonstrando um pouco de amabilidade   77

{8}
Tendo uma vida boa   89

{9}
Aquele com quem se pode contar   101

{10}
O método da brandura   113

{11}
Desenvolvendo o domínio próprio   125

{12}
Uma vida produtiva   138

{1} O poder para transformar sua vida!

O que você gostaria que mudasse em você? Gostaria de ser mais confiante, mais descontraído? Talvez quisesse ser mais expansivo, menos ansioso ou menos medroso. A maioria das pessoas está bastante interessada em mudar porque percebe que sempre há em que melhorar.

Por que não consigo mudar?

Nos anos do meu pastorado, a principal pergunta que me fazem é: "Rick, por que não consigo mudar? Quero mudar, de verdade, mas não sei como — ou não tenho forças".

Frequentamos seminários e conferências em busca de uma cura indolor que transforme nossa vida e nos modifique dando-nos a autodisciplina instantaneamente. Ou, então, começamos a fazer regime. Uma vez, consegui fazer regime durante toda uma tarde.

Matriculamo-nos em academias de ginástica para melhorar a saúde, e nosso entusiasmo se fortalece cerca de duas semanas. Depois, voltamos à velha rotina de sempre. Não mudamos. Lemos livros de autoajuda, mas o problema é que eles dizem *o que* fazer, mas não dão o *poder* para tanto. Eles dizem coisas como: "Acabe com todos os seus antigos hábitos, seja positivo, não seja negativo". Mas como? Onde obter o poder para mudar? Como arrancar nossa vida do ponto morto? Como nos desvencilhar do molde em que nos encontramos? Eis as boas-novas: o cristianismo oferece o poder de que precisamos.

Você pode ter o poder da ressurreição

A palavra *poder* ocorre 57 vezes no Novo Testamento. É uma palavra utilizada em referência ao fato mais poderoso que já aconteceu, o evento que separou o *d.C.* do *a.C.* Esse acontecimento foi a ressurreição de Jesus Cristo dentre os mortos. E o poder da ressurreição está à disposição para mudar sua vida!

A coisa mais importante na vida é conhecer Cristo e experimentar o poder de sua ressurreição. Paulo escreve: "Quero conhecer Cristo, o poder da sua ressurreição" (Filipenses 3.10). Ainda em outra carta escreve: "Oro para que vocês comecem a compreender como é incrivelmente grande o seu poder para ajudar aqueles que creem nele. Foi esse mesmo grandioso poder, que levantou a Cristo dentre os mortos e o fez sentar-se no lugar de honra no céu, à mão direita de Deus" (Efésios 1.19,20; *BV*).

Paulo utiliza a palavra grega para poder, *dynamis*, que é a raiz de nossa palavra *dinamite*. Portanto, ele está dizendo: "Deus deseja dar-lhes o poder da dinamite em sua vida, o poder que pode mudar sua vida". Sim, o mesmo poder que levantou Jesus Cristo dos mortos há dois mil anos está à sua disposição agora mesmo para transformar a fraqueza de sua vida em força. Segundo a Bíblia, o poder da ressurreição é o poder que cancela o nosso passado, que vence nossos problemas e que transforma nossa personalidade.

O poder de Deus cancelará nosso passado

Em primeiro lugar, o poder da ressurreição é o poder que cancela o nosso passado. Estou falando de fracassos, erros, pecados, arrependimentos. E, quando digo *cancelar*, não me refiro à negação do passado, como se nunca tivesse acontecido. A palavra *cancelar* significa eliminar, neutralizar, compensar alguma coisa.

Você já chegou à metade de um projeto e desejou poder começar tudo de novo? Está pintando a sala de estar, dá um passo para trás e observa a cor que parecia perfeita no mostruário. Contudo, na parede, não parece perfeita. Gostaria de poder começar tudo de novo.

Uma porção de pessoas sente o mesmo a respeito da vida: "Cometi tantos erros. Gostaria de poder apagá-los e começar de novo".

São fracassos, problemas, decisões erradas; todos sofrem por causa deles.

Parece que algumas pessoas simplesmente não conseguem abandonar o que ficou para trás e, assim, deixam o passado limitar as oportunidades presentes. Vivem em um constante estado de arrependimento. Dizem continuamente: "Ah, se não tivesse feito isso" ou: "Ah, se eu tivesse mudado". Sempre estão conjecturando. São atormentadas por lembranças dolorosas: "Eu fracassei; vou pagar por isso o resto de minha vida".

Deus diz que não é necessário carregar um fardo pesado de culpa, velhas feridas e lembranças de erros. Em Colossenses 2.14, lemos que ele perdoou todos os nossos pecados e cancelou cada registro de dívida que tínhamos de pagar. Deus o fez ao permitir que Cristo fosse crucificado.

Jesus Cristo conhece os erros que você cometeu, mas não veio para apagá-los. Veio para desfazê-los. Não veio para condená-lo, mas para transformá-lo. É possível ter uma ficha limpa! É como a lousa mágica do meu filho. Se ele cometer um erro no desenho ou na figura, tudo o que tem a fazer é levantar a lâmina plástica que recobre a lousa para deixá-la limpa. Depois, pode começar tudo de novo. A Bíblia diz que é isso que Deus faz com os erros que cometemos. Quando o busco, ele limpa a lousa.

Em Jeremias 31.34, Deus diz aos israelitas que nunca mais se lembrará dos seus pecados. Essa é uma das declarações mais espantosas da Bíblia: o Deus que fez o mundo "esquece". Hoje, quando nos achegamos a ele, admitimos nossos pecados e lhe pedimos perdão, ele cancela nosso passado. Deus *resolve* esquecer nossos erros, nossas falhas, nossos fracassos. São boas-novas! Mesmo que você morresse esta noite e se apresentasse diante de Deus no céu, poderia lhe perguntar a respeito de algum pecado que cometeu ontem, e ele diria: "Que pecado?".

Ele cancelou o seu passado e o libertou para se preocupar com o presente.

Por que Deus pode cancelar nosso passado?

Agora, qual é o fundamento desse perdão?

Quando Jesus morreu, uma de suas últimas declarações na cruz foi: "Está consumado" (João 19.30). No grego, a palavra é uma só, *tetelestai*, cujo significado literal é "totalmente pago", "cancelado". Era a palavra que os comerciantes escreviam nas contas que eram pagas, "quitadas". Era carimbada sobre um documento que continha uma sentença de prisão anulada. Jesus diz que foi isso que ele fez na cruz. Pagou totalmente cada pecado que você cometeu. Em Romanos 8.1 lemos: "Portanto, agora já não há condenação para os que estão em Cristo Jesus". Jesus foi crucificado para que você pudesse parar de se crucificar. Ele foi flagelado por causa de suas aflições. São as boas-novas!

Agora, a questão é: se Deus esquece um pecado no momento em que ele é confessado, você não acha que deveria esquecê-lo também? Por quanto tempo você pensa numa conta que já pagou? Eu me esqueço de minhas contas logo depois de pagá-las. Não me preocupo com a conta de luz do mês passado. Alguém disse que, quando entregamos a Deus todos os nossos erros e fracassos, ele os joga nas profundezas do oceano. Então coloca um aviso dizendo: *Proibido pescar*. Ele não quer que continuemos dragando os nossos pecados.

Paulo diz: "Jesus [...] esquecendo-me das coisas que ficaram para trás e avançando para as que estão adiante, prossigo para o alvo, a fim de ganhar o prêmio do chamado celestial de Deus em Cristo Jesus" (Filipenses 3.13,14). Contudo, podemos anular o poder de Deus em nossa vida deixando de crer que ele verdadeiramente nos perdoou ou preferindo não conceder a nós mesmos o perdão. Deus tem o poder de cancelar nosso passado.

O poder de Deus acabará com nossos problemas

O poder de Deus também é o poder para acabar com seus problemas. Todos têm problemas. Eles existem porque vivemos em um mundo caído. Se você pensa que não tem problema, examine o seu pulso. As únicas pessoas sem problemas estão no cemitério.

Nosso verdadeiro problema é a forma com que lidamos com os problemas. Inevitavelmente, tentamos resolvê-los com nosso próprio poder. Como saber se estamos tentando resolver todos os problemas com as próprias forças? Ficamos cansados o tempo todo! Um homem frustrado com sua falta de poder para resolver os problemas sintetizou sua frustração dizendo: "Estou doente e cansado de estar doente e cansado". É assim que nos sentimos quando tentamos resolver nossos problemas por conta própria. Deus quer que paremos de *tentar* e comecemos a *confiar* a ele os nossos problemas.

Conheci milhares de pessoas que sentiam que sua vida estava fora de controle. Elas me diziam: "Minha vida está fora de controle; sou vítima das circunstâncias. O que posso fazer? Não tenho meios de vencer. Exatamente quando penso que resolvi um problema, alguém me causa outro". Se você lhes perguntar: "Como você se sente?", elas respondem: "Estou bem, *apesar* das circunstâncias". Bem, o que estão fazendo *sob* essas circunstâncias? Alguém disse que as circunstâncias são como um colchão: se você estiver em cima, pode descansar, mas, se estiver embaixo, vai sufocar! Uma porção de pessoas está *imersa* nas próprias circunstâncias. Embora não possamos sempre controlá-las, podemos controlar a reação diante delas.

Você poderia dizer: "Mas, Rick, você não conhece todos os problemas que tenho. Estou passando por um momento difícil". Nesse caso, permita-me encorajá-lo a deixar de se ater aos seus problemas e passar a se concentrar nas promessas de Deus.

Veja o que Paulo pergunta em Romanos 8.35: "Quem nos separará do amor de Cristo? Será tribulação, ou angústia, ou perseguição, ou fome, ou nudez, ou perigo, ou espada?". Ele mesmo responde no versículo 37: "... em todas estas coisas somos mais que vencedores, por meio daquele que nos amou". Você sabe o que significa a palavra *vencer?* Vencedor é "aquele que supera e assume o controle". Paulo diz que somos *mais do que* vencedores. A palavra grega explica que somos *supervencedores* e podemos ter uma vitória *esmagadora*. Quando colocamos a vida nas mãos de Deus e nos apoiamos no poder da ressurreição, nada pode nos devastar. *Nada* pode nos engolir ou nos destruir. Essa é a mensagem da ressurreição e o âmago das boas-novas.

Não importa a situação, Deus pode invertê-la. Não importa a desesperança que a vida *pareça* oferecer, Deus produz esperança. O mesmo poder que capacitou Jesus Cristo a ressuscitar dos mortos permitirá que você transcenda seus problemas.

Atos 4 registra a primeira oposição séria à pregação do evangelho que os apóstolos faziam em Jerusalém. Quando as autoridades os ameaçaram, eles se reuniram e oraram. Observe por que motivos eles oraram. Não pediram ao Senhor que impedisse a oposição, mas que lhes desse ousadia sobrenatural para enfrentá-la (4.29). E Deus lhes deu (4.31).

O poder da ressurreição nos permite cancelar o passado e vencer os problemas, mas não se resume a isso.

O poder de Deus transformará nossa personalidade

O poder da ressurreição também nos ajuda a mudar de personalidade. O que você gostaria de mudar em você e como poderia fazê-lo? Veja de outro ângulo: o que seu cônjuge gostaria de que você mudasse? Talvez isso seja mais revelador. A esposa diz que o seu marido é "excessivamente temperamental": 90% emotivo e 10% racional! Em outra situação, certo dia, um marido procurou aconselhamento matrimonial e disse ao pastor que queria o divórcio. O pastor o fez lembrar-se de que havia prometido diante de Deus permanecer ao lado da esposa na alegria ou na dor. O homem disse: "Sim, mas ela dói bem mais do que eu imaginava".

Como você completaria a frase: "Estou sempre..."? Estou sempre *atrasado*. Estou sempre *interrompendo um regime*. Estou sempre *trocando os pés pelas mãos*. Estou sempre *explodindo, deprimido, zangado*. Tenho certeza de que você sabe muito bem quais traços de sua personalidade você transformaria se pudesse.

Deus utiliza um processo

Deus utiliza um processo de dois passos para nos transformar. O primeiro passo está explicado em 2Coríntios 5.17: "Portanto, se alguém está em Cristo, é nova criação. As coisas antigas já passaram; eis que surgiram coisas novas!". Quando entregamos a vida a Cristo, esse é o ponto inicial da transformação. Não somos mais os mesmos. Começou uma nova vida. Por isso, a Bíblia chama esse processo de "nascer de novo". Nascer de novo não significa ser reencarnado, mas simplesmente que temos oportunidade de começar de novo. Não é virar uma nova página, mas ter uma nova vida, um novo começo. É um recomeço com uma grande diferença: agora temos nova natureza, e o Espírito Santo habita em nós. Um conjunto de "pilhas espirituais" é incluído para fornecer o poder! Isso faz toda a diferença no mundo.

Nascer de novo, assim como nascer pela primeira vez, é apenas o começo. Segue-se um processo permanente apresentado em Romanos 12.2. J. B. Phillips parafraseou o versículo assim: "Não permitam que o mundo ao redor os force a se encaixar em seus moldes, mas deixem que Deus os recriem de maneira que seu temperamento seja completamente transformado. Assim vocês demonstrarão na prática que a vontade divina é boa, aceitável para Deus e perfeita".[1]

No capítulo a seguir, examinaremos mais especificamente como Deus nos ajuda a mudar e quais são as ferramentas que utiliza. Depois, veremos em detalhes como ele nos transforma produzindo em nós o fruto do Espírito, conforme apresentado em Gálatas 5.22,23. Cada capítulo será dedicado a uma dessas qualidades de caráter. Quando o Espírito Santo controlar sua vida, produzirá nove características positivas: amor, alegria, paz, paciência, amabilidade, bondade, fidelidade, mansidão e domínio próprio.

Uma pergunta: quantas pessoas com as quais você trabalha ou convive exibem essas qualidades? Quantas pessoas com as quais você trabalha ou convive citariam essas qualidades para descrevê-lo? O triste fato é que, em vez de amarmos os outros, somos desagradáveis. Em vez de vivermos com alegria, sentimo-nos derrotados, deprimidos, desanimados. Em vez de experimentarmos a paz, sentimo-nos tensos e pressionados. Em vez de sermos pacientes, ficamos frustrados e irritados. Em vez de demonstrarmos benignidade, vivemos com a mentalidade de "cada um por si". Em vez de sermos exemplos de bondade, geralmente não achamos nada de bom em nós mesmos. Em vez de sermos fiéis, negligenciamos os compromissos. Não raro, reagimos diante dos outros com ira ou ressentimento e não com mansidão. E, em vez de praticarmos o domínio próprio, vemos a vida desmoronar.

Esses são os contrastes entre a pessoa que deixa o poder de Deus operar em sua vida e a que confia em seu próprio poder.

---

[1] *Cartas para hoje*. Vida Nova, 1994, tradução livre.

Contudo, devemos lembrar que o fruto do Espírito não é algo que nós possamos gerar, mas que Deus produz em nós quando lhe entregamos totalmente a vida.

Não deixe para depois

Apenas uma coisa poderá impedi-lo de mudar e se transformar na pessoa que você e Deus querem que seja. Não é o Diabo, não são outras pessoas nem são as circunstâncias. É a procrastinação.

Conheço muitas pessoas que estão se preparando para viver, mas nunca vivem. "Estou querendo mudar", dizem. E tenho vontade de responder: "Que bom, mas quando você vai dar a partida?".

A procrastinação é fatal. Um dia desses, irei ao dentista, um dia desses farei aquela cirurgia, um dia desses passarei mais tempo com a família, levarei a sério a vida cristã, me tornarei mais atuante na igreja, realizarei aquele sonho, entrarei em forma. Um dia desses! Em geral, esse dia nunca chega.

Por que passar mais uma noite com as rãs?

Um dos meus filmes prediletos é *Os dez mandamentos*, com Charlton Heston de pé, separando o mar Vermelho para os israelitas atravessarem. Minha família se diverte com meu comportamento sempre que assisto a esse filme, porque, nas semanas seguintes, fico falando como Yul Brynner, que representou o faraó no filme. Quando meus filhos me perguntam alguma coisa, respondo: "Assim seja escrito; assim seja feito!".

Um dos aspectos engraçados sobre os fatos relacionados ao êxodo dos israelitas do Egito é as dez pragas que Deus enviou aos egípcios. Cada praga zombou de um deus egípcio diferente. Por exemplo, os egípcios adoravam piolhos; por isso, Deus lhes enviou uma porção de piolhos para adorar. Depois houve a praga das rãs. A Bíblia diz que havia rãs por toda parte. Deve ter ficado uma bagunça! Tenho certeza de que a sra. Faraó pressionou o marido para desistir e acabar com as rãs.

Finalmente, o faraó chamou Moisés e disse: "Muito bem, Moisés, desisto". Então Moisés perguntou: "Quando você quer que eu acabe com as rãs?". A resposta do faraó foi clássica. Ele disse: "Amanhã". Ele devia estar louco! Por que alguém esperaria tanto tempo para acabar com as rãs?

Há um famoso sermão baseado nesse texto chamado "Mais uma noite com as rãs". Como você se sentiria ao passar mais uma noite com as rãs? Por que cargas d'água qualquer pessoa adiaria uma oportunidade positiva? Era de esperar que o faraó dissesse: "Acabe com as rãs agora mesmo!". Entretanto, em vez disso, ele disse: "Amanhã".

Fazemos isso o tempo todo. Protelamos, deixando para depois as mudanças que sabemos ser boas para nós. Por quê? Talvez sejamos complacentes. Talvez sejamos preguiçosos demais para mudar. Talvez estejamos com medo porque não sabemos o que essas mudanças implicarão. Talvez sejamos orgulhosos demais ou simplesmente obstinados. Seja qual for o motivo, protelamos.

Os engenheiros espaciais da NASA contam que a maior parte do combustível utilizado para lançar um foguete é queimada nos primeiros segundos da partida. É preciso energia e impulso tremendos para fazer o foguete sair da plataforma de lançamento. Uma vez em movimento e dirigindo-se para a órbita, ele precisa de menos combustível e é mais fácil de controlar e direcionar, pois venceu a inércia.

Uma coisa é dizer que Jesus Cristo pode cancelar seu passado, ajudá-lo a vencer os problemas que você está enfrentando agora e transformar sua personalidade. Mas outra coisa, totalmente diferente, é vencer a inércia e de fato deixá-lo começar a fazer isso agora! Embora você possa concordar com tudo o que eu digo, talvez ainda prefira esperar para deixar que Jesus o ajude "um dia desses".

Jesus Cristo tem o poder de fazer essas mudanças em sua vida agora. Ele lhe dará poder para começar e para continuar. Ele lhe dará poder para se libertar dos grilhões da protelação.

Se você não conseguiu abandonar o passado, Jesus Cristo oferece perdão completo. Ele pode consertar sua vida. Você pode sentir-se Humpty Dumpty, o ovo de *Alice no país das maravilhas* que despencou do muro e ficou tão fragmentado que nada podia consertá-lo. Mas nunca é tarde demais para começar tudo de novo! Você nunca será um fracasso enquanto não desistir.

Talvez você esteja sobrecarregado pelos problemas. A ressurreição é um lembrete de que nenhuma situação é desesperadora. Relaxe. Confie em Deus. Não é preciso se deixar levar pelas circunstâncias. Nenhum problema é grande demais para o Senhor. Ele continua agindo hoje como agiu no dia da ressurreição de Cristo. O que você está esperando? Pode dizer agora mesmo: "Jesus Cristo, tome a minha vida. Tome o bom, o mau e o feio. Tome cada parte de mim". Abra seu coração ao amor de Jesus agora mesmo e deixe que o poder transformador da ressurreição transforme-se em realidade na sua vida.

{2}
A participação de Deus e a minha na transformação

Uma das lembranças mais queridas de minha infância é a horta de meu pai. Parecia-me que papai plantava de tudo em sua horta. Na realidade, ele sempre plantava o suficiente para alimentar toda a vizinhança. Sempre que alguém aparecia em casa para uma visita, costumava sair com uma sacola cheia de verduras frescas e frutas saborosas.

Meu pai plantava um único tipo de fruto: *natural*. Também existem frutos *biológicos*: os filhotes de animais e as crianças. Mas existe ainda o fruto *espiritual*, e é sobre ele que Deus está falando em Gálatas 5.22,23: "Mas o fruto do Espírito é amor, alegria, paz, paciência, amabilidade, bondade, fidelidade, mansidão, domínio próprio". Essas nove qualidades descrevem o caráter de um cristão fecundo, produtivo.

A questão é: como obter essas qualidades de caráter? É óbvio que, em um único dia, subitamente, Deus não fará essas qualidades se materializarem em minha vida. Ele utiliza um processo, que examinaremos neste capítulo.

É uma parceria

O apóstolo Paulo descreve o processo duplo que Deus utiliza em Filipenses 2.12,13, em que diz primeiro: "efetuai a vossa salvação", e depois volta atrás e diz: "pois Deus é o que opera em vós" (*AEC*). Parece uma contradição, não acha? Mas não é.

É um paradoxo. G. K. Chesterton diz que um paradoxo é: "uma verdade de ponta-cabeça para chamar a atenção". Paulo gosta de ensinar por meio de paradoxos.

A chave para compreender esse paradoxo é o verbo *efetuar* no versículo 12. Observe que Paulo não diz: "*Trabalhai* a vossa salvação". Essa é a grande diferença. *Trabalhar* por alguma coisa é conquistá-la, merecê-la, ser digno dela. A Bíblia ensina claramente que a salvação não é algo por que temos de trabalhar. É um dom da graça de Deus. Paulo diz: "*Efetuai* a vossa salvação". Ele está falando de um "exercício espiritual".

O que você faz em um exercício físico? Desenvolve ou fortalece os músculos que Deus lhe deu. Efetuar significa cultivar, aproveitar ao máximo o que você recebeu. É isso que Paulo está dizendo. Cultive sua vida espiritual!

Deus participa do nosso crescimento espiritual e nós fazemos a nossa parte. Ele nos dá o poder, mas nós devemos usá-lo. Efetue a sua salvação, pois é Deus quem opera em você.

Deus utiliza sua Palavra

Examinaremos primeiro como Deus participa desse processo e quais as ferramentas que utiliza. Depois analisaremos a nossa parte e algumas opções que precisamos escolher. A primeira ferramenta que Deus utiliza para nos transformar é a Bíblia. Por meio das Escrituras ele nos ensina a viver. Em 2Timóteo 3.16,17 lemos: "A Bíblia inteira nos foi dada por inspiração de Deus, e é útil para nos ensinar o que é verdadeiro, e para nos fazer compreender o que está errado em nossas vidas; ela nos endireita e nos ajuda a fazer o que é correto. Ela é o meio que Deus utiliza para nos fazer bem preparados em todos os pontos, perfeitamente habilitados para fazer o bem a todo mundo" (*BV*).

A Bíblia transformou sua vida? Existe uma história a respeito de um canibal convertido nas ilhas dos Mares do Sul que estava assentado perto de um grande caldeirão lendo sua Bíblia quando um antropólogo com um capacete aproximou-se e perguntou:

— O que você está fazendo?

O índio respondeu:

— Estou lendo a Bíblia.

O antropólogo zombou e disse:

— Você não sabia que os homens modernos e civilizados rejeitaram esse livro? Não passa de um amontoado de mentiras. Você não deveria desperdiçar seu tempo.

O canibal olhou-o de alto a baixo e lentamente respondeu:

— Senhor, se não fosse por este livro, o senhor estaria neste caldeirão!

A Palavra de Deus modificou a vida dele, e o seu apetite.

Se você está pensando seriamente em ter sua vida transformada, precisa conhecer a Bíblia. Você deve lê-la, estudá-la, memorizá-la, meditar sobre ela e aplicá-la.

Quando as pessoas me dizem que têm pouca fé, pergunto:

— Você lê a Bíblia regularmente?

— Na verdade, não.

— Você estuda a Bíblia?

— Bem, não exatamente.

— Você memoriza as Escrituras?

— Não.

— Bem, então como pode esperar que sua fé cresça?

A Bíblia diz: "A fé vem pelo ouvir, e o ouvir pela palavra de Deus" (Romanos 10.17; *AEC*).

A participação de Deus no processo: seu Espírito

A segunda ferramenta que Deus utiliza ao nos transformar é o Espírito Santo. Quando nos entregamos a Cristo, o Espírito Santo entra em nossa vida para nos dar poder e nos orientar (Romanos 8.9-11). O Espírito de Deus nos dá novas forças, vitalidade, desejo e poder para fazer o que é certo. Quando o Espírito do Senhor opera em nós, tornamo-nos cada vez mais parecidos com ele.

Se você não conseguir extrair nada mais deste capítulo, pense nisto: o principal propósito de Deus em sua vida é torná-lo parecido com Jesus Cristo. O Espírito Santo utiliza a Palavra para tornar o filho de Deus mais parecido com o Filho de Deus. E como é Jesus? Sua vida na terra personificou o fruto do Espírito composto de nove gomos: amor, alegria, paz, paciência, amabilidade, bondade, fidelidade, mansidão e domínio próprio.

Deus utiliza as circunstâncias

A maneira ideal de Deus nos transformar é fazer-nos ler a Bíblia para descobrir como devemos viver e então depender do seu Espírito que habita em nós para nos capacitar. Infelizmente, a maioria das pessoas é obstinada e não muda assim tão facilmente. Por isso, Deus emprega uma terceira ferramenta para operar em nós: as circunstâncias. Estou falando de problemas, pressões, sofrimentos, dificuldades, estresse. Essas coisas sempre chamam a nossa atenção. C. S. Lewis diz que Deus sussurra quando sentimos prazer, mas grita quando sofremos. Com frequência, é preciso uma situação dolorosa para chamar a nossa atenção.

Na tradução de Phillips, Romanos 8.28,29 diz: "... Deus age em todas as coisas para o bem daqueles que o amam, dos que foram chamados de acordo com o seu propósito. Pois [...] os predestinou para serem conformes à imagem de seu Filho". Nada pode entrar na vida de um cristão sem a permissão do Pai celestial, sem que seja "filtrado pelo Pai".

O interessante na forma como Deus utiliza as circunstâncias é que sua causa não faz diferença para ele. Muitas vezes, nós mesmos atraímos os problemas por causa de decisões erradas, falta de discernimento e pecados. Às vezes, os problemas são causados por outras pessoas. Outras vezes, o Diabo provoca as situações, como fez com Jó. Mas Deus diz que a causa das circunstâncias é irrelevante: "Ainda assim as usarei em sua vida. Irei ajustá-las conforme meu padrão, meu grande plano para sua vida, para torná-lo como Jesus Cristo". Assim, não há circunstâncias na vida com as quais não possamos aprender, se simplesmente agirmos da maneira correta.

Encontramos, em Provérbios 20.30, mais uma boa-nova: "Os golpes e os ferimentos eliminam o mal; os açoites limpam as profundezas do ser". Talvez você tenha experimentado a verdade desse versículo. Às vezes, é preciso passar por uma experiência dolorosa para mudar de atitude. Em outras palavras, não nos dispomos a mudar quando vemos a luz, mas quando sentimos seu calor! Por quê? Porque mudamos apenas quando o temor da mudança é sobrepujado pelo sofrimento.

Uso sapatos pelo conforto, não pela moda. Há alguns anos, tive um par de sapatos pretos que usei quase diariamente por um ano. Por fim, começaram a aparecer buracos na sola, mas os sapatos eram tão confortáveis que continuei a usá-los. Não cruzava as pernas quando me sentava no púlpito, para que as pessoas da congregação não vissem os buracos. Sabia que precisava comprar sapatos novos, mas ficava adiando. Então, um dia começou a chover e a chuva durou uma semana. Depois de quatro dias de meias ensopadas, senti-me motivado a mudar de atitude e comprar sapatos novos. O primeiro passo na mudança geralmente é o desconforto!

Deus nos fala por meio da Bíblia e pelos estímulos do Santo Espírito, mas, quando não consegue chamar a nossa atenção, usa as circunstâncias. Por exemplo, a Bíblia diz que devemos ser humildes, e o Espírito Santo nos capacita a isso. Entretanto, se não formos, ele utilizará as circunstâncias para nos humilhar. Deus pode utilizar cada situação em nossa vida para o nosso crescimento. É a sua participação. Agora, qual é a nossa?

Devemos escolher nossos pensamentos

O crescimento espiritual não é automático. Mudança é uma questão de opção. Não podemos simplesmente ficar sentados, inertes, sem fazer nada, esperando o crescimento. Temos de fazer três escolhas para realmente mudar.

Primeira: *devemos escolher nossos pensamentos com cuidado*. Provérbios 4.23, na *Tradução na linguagem de hoje*, diz: "Tenha cuidado com o que você pensa, pois a sua vida é dirigida pelos seus pensamentos". Alguém já disse: "Você não é como pensa que é, mas é o que pensa". Entendeu? Você não é como pensa que é, mas aquilo que pensa. Se você quiser transformar sua vida, tem de transformar o padrão de seus pensamentos. As mudanças sempre começam com um novo pensamento.

Como uma pessoa se torna cristã? Arrependendo-se. O arrependimento, com frequência, é um termo mal compreendido. Costumava pensar nele como um homem parado em uma esquina com o aviso: "Volte ou vai se queimar!". Na realidade, a palavra grega traduzida como arrependimento é *metanoia* e significa mudança de mentalidade, de perspectiva. Quando me tornei cristão, mudei minha perspectiva sobre uma porção de coisas. Romanos 12.2 diz que somos transformados pela renovação de nossa mente. Não somos "transformados pela força de vontade", mas "transformados pela renovação de nossa mente".

A Bíblia ensina que a maneira de pensar determina a maneira de sentir, e a maneira de sentir determina a maneira de agir. Por isso, para mudar as atitudes, é necessário retornar à origem e mudar a maneira de pensar. Às vezes, você age com desânimo. Sabe por quê? Porque você se sente desanimado. Sabe por que você se sente assim? Porque está tendo pensamentos deprimentes. O mesmo acontece com a ira, com a preocupação e com todas as outras coisas relacionadas aos padrões de pensamento destrutivo.

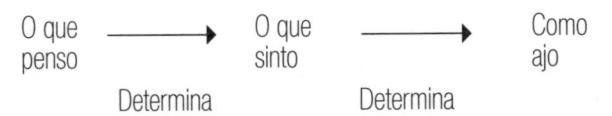

O que penso	→	O que sinto	→	Como ajo
	Determina		Determina	

Imagine que você tem uma lancha de corrida com piloto automático. A lancha está direcionada para o leste e você decide ir para o oeste. Você precisa fazer uma curva de 180 graus. Há duas maneiras de fazê-lo. O piloto automático está levando a lancha para o leste, mas você pode pegar o leme e virá-la à força a fim de seguir para o oeste. A lancha irá para o oeste, porém você ficará sob tensão enquanto guiá-la por sua força de vontade. Isso porque ela está naturalmente inclinada para o outro lado. Você ficará tenso e rígido e logo se cansará. Você sabe o que acontecerá em seguida. Você soltará o "leme" e... abandonará o regime, voltará a fumar, largará a ginástica ou voltará aos velhos padrões de relacionamento com a família. A verdade é que forçar uma mudança por pura força de vontade raramente produz resultados duradouros.

A outra maneira de mudar a direção da lancha é ajustar o piloto automático. Agora o "piloto automático" de sua vida serão seus pensamentos. Como você completaria a frase que apresentei no primeiro capítulo: "Estou sempre..."? Complete essa frase algumas vezes e lhe direi para onde o piloto automático de sua vida o está conduzindo.

Mas você pode ser transformado pela renovação da mente. Não se concentre nas atitudes nem nos sentimentos. As pessoas costumam dizer: "Serei mais amoroso" ou "Serei feliz nem que me matem". Forçar um sentimento não funciona. Simplesmente concentre-se na mudança de seus pensamentos.

Quando você muda seus pensamentos, muda também os sentimentos. Deve abandonar os pensamentos que estão causando problemas e começar a ter pensamentos que o levarão para onde você deseja.

Jesus disse: "E conhecerão a verdade, e a verdade os libertará" (João 8.32). Ao fundamentar a vida sobre a verdade — viver com o tipo certo de pensamentos, sem ideias ou crenças falsas, e fundamentar a vida em pensamentos corretos extraídos da Palavra de Deus —, você é libertado. Você verá seus velhos hábitos, sentimentos e atitudes desmoronarem.

Deus nos dá a Palavra, mas cabe a nós usá-la. Devemos praticar meditação bíblica. Quando uso a palavra *meditação*, não estou falando de ficar sentado em posição de ioga, recitando um mantra. Você não precisa de meditação transcendental, nem ioga ou qualquer uma daquelas técnicas de meditação fundamentadas nas religiões orientais. Afaste-se delas. Medite sobre a Palavra de Deus. Leia todo o livro de Salmos e veja quantas vezes Davi diz: "Medito na tua Palavra dia e noite".

No salmo 1 lemos: "Como é feliz aquele que não segue o conselho dos ímpios, não imita a conduta dos pecadores, nem se assenta na roda dos zombadores!". Em outras palavras, ele não se alimenta de fontes erradas: "Ao contrário, sua satisfação está na lei do Senhor [a Bíblia], e nessa lei *medita* dia e noite" (grifo do autor). Logo: "É como árvore plantada à beira de águas correntes: Dá *fruto* no tempo certo e suas folhas não murcham. Tudo o que ele faz prospera!" (grifo do autor). É uma promessa fabulosa.

Deus diz que, quando meditamos na Palavra dia e noite, damos fruto. Estamos falando sobre ser uma pessoa fecunda, produtiva, uma pessoa cheia de amor, alegria, paz, paciência... Ele também diz que prosperaremos. Há duas grandes promessas nas Escrituras sobre o sucesso: uma delas é essa e a outra está em Josué 1.18. Ambas dizem que o segredo do sucesso é a meditação na Palavra de Deus.

O que significa meditar na Palavra de Deus? Se você procurar a palavra *ruminar* no dicionário, verá que um dos significados dela é *meditar*. Ruminar é o que a vaca faz quando masca o bolo alimentar. A vaca come um pouco de capim, mastiga até onde pode e depois engole. Fica em um dos seus estômagos por algum tempo e então, pouco depois, ela arrota, com um gosto diferente. A vaca mastiga mais um pouco e engole de novo. Isso é ruminar. A vaca retira o máximo de nutrientes daquele capim. Isso é meditar. Meditar é digerir pensamentos. Meditar não é neutralizar a mente para não pensar em nada. Meditar é pensar seriamente sobre o que você está lendo. Você escolhe um versículo e pergunta: "O que isso significa para minha vida?". Fale sobre isso consigo mesmo e também com Deus.

Deus é bastante específico quando diz no que devemos pensar. Em Filipenses 4.8, ele diz que devemos pensar sobre oito diferentes categorias de coisas e, por implicação, evitar o pensar no contrário. Reserve agora mesmo alguns minutos para ler esse versículo e pensar sobre ele. Converse com Deus a respeito. Será um bom exercício de meditação sobre a Palavra de Deus.

Em Colossenses 3.16, lemos: "Habite ricamente em vocês a palavra de Cristo". Você precisa reservar um tempo todos os dias, pelo menos de 10 a 15 minutos, para sentar-se, ler um trecho da Bíblia e pensar sobre ele. Depois, fale com o Senhor sobre isso em oração. Esse é o ponto de partida da nossa participação na mudança. Podemos escolher no que iremos pensar.

Devemos depender do seu Espírito

Outra escolha é *depender do Espírito Santo*. Deus diz: "Coloquei meu Espírito Santo em ti para que tenhas poder". Todos os cristãos têm o Espírito de Deus na vida, mas nem todos têm o *poder* de Deus. Jesus oferece uma bela ilustração disso em João 15. Ele compara nossa vida espiritual com uma videira e seus ramos. "Eu sou a videira, vós sois os ramos. Se alguém permanece em mim, e eu nele, esse dá muito fruto; sem mim nada podeis fazer" (João 15.5; *AEC*).

Nessa ilustração, o ramo é totalmente dependente da videira; não pode produzir fruto sozinho. O fruto é uma obra interior. Se eu saísse na primavera, amarrasse maçãs nos galhos de uma árvore morta e, então, a levasse até minha esposa e lhe dissesse: "Querida, veja a nossa macieira", ela diria: "Você amarrou os frutos nela". O mesmo serve para o cristão que diz: "Juntarei um punhado de frutos em minha vida: um pouco de paciência, de bondade e de autocontrole. Farei isso sozinho". Impossível. É um trabalho interior. Lembre-se: é fruto do Espírito.

Talvez você esteja dizendo: "Como saberei se permaneço em Cristo, se estou preso à videira? Como saber se dependo do seu Espírito?". É simples. Examine sua vida devocional. Suas orações demonstram sua dependência em Deus.

Sobre o que você ora? Seja o que for, é isso o que o mantém preso a Deus. Aquilo por que você não ora é o que está tentando fazer sozinho. A oração é a análise química.

O segredo da dependência no Espírito de Deus é estar incessantemente em oração. Ore sobre suas decisões, suas necessidades, seus interesses, seus compromissos, sobre os problemas que está enfrentando, as pessoas que você conhecerá, por suas compras, por tudo. É isso que significa permanecer, ter consciência de que Deus está sempre conosco e praticar sua presença. Quando orarmos, começaremos a ver o fruto se desenvolver em nossa vida.

Devemos reagir com sabedoria às circunstâncias

Além de escolher nossos pensamentos e optar pela dependência no Espírito, também podemos *escolher como reagir às circunstâncias da vida*. Victor Frankl foi um dos judeus que os nazistas colocaram no campo de concentração de Dachau. Ele conta que, enquanto esteve no campo, os soldados lhe tiraram tudo: sua identidade, sua esposa, sua família, suas roupas e até sua aliança de casamento. Mas uma coisa ninguém podia lhe tirar. No livro *Man's Search for Meaning*, ele escreveu: "A última das autonomias humanas é a capacidade de escolher qual atitude tomar diante das circunstâncias".[1] Os guardas não podiam lhe tirar a liberdade de escolher qual atitude tomar.

Não podemos controlar todas as circunstâncias da vida. Não sabemos o que acontecerá amanhã ou mesmo hoje.

---
[1] Washington Square Press, p. 12 [*Em busca de sentido*. Vozes, 2005].

Não podemos controlar as circunstâncias, mas podemos controlar nossa reação diante delas. Podemos controlar se uma experiência nos tornará uma pessoa amarga ou uma pessoa melhor. O que importa na vida não é tanto o que acontece *a* nós, mas o que acontece *em* nós.

Paulo fala disso em Romanos 5.3,4. Ele diz que podemos nos regozijar aqui e agora, até mesmo em provações e problemas. As dificuldades produzirão perseverança e nos ajudarão a desenvolver um caráter maduro. Por isso, podemos nos regozijar em nossos problemas, e não apenas suportá-los, porque sabemos que Deus os está usando em nossa vida. Ele usa até mesmo os problemas que criamos para nós mesmos.

Deus também usa a situação que os outros criam com o objetivo de nos prejudicar. Agora, vejamos a lição da vida de José conforme conta o Antigo Testamento. José foi traído pelos irmãos e vendido como escravo. Anos depois, disse: "Vocês planejaram o mal contra mim, mas Deus o tornou em bem, para que hoje fosse preservada a vida de muitos" (Gênesis 50.20). Isso também vale para sua vida. Talvez alguém esteja tentando magoá-lo neste momento. Não se preocupe. Se você for cristão, se colocou a vida nas mãos do Senhor, Deus usará essa situação dolorosa para o bem e para desenvolver em você um caráter maduro. É isso que o fruto do Espírito significa. Deus quer produzir o caráter de Cristo em nossa vida, porque sabe que, quanto mais parecidos com ele nos tornarmos, mais realizados seremos.

Quando Deus criou o homem, o fez "à sua imagem" (Gênesis 1.27). Esse era o plano original de Deus, e isso não mudou. Ele quer nos tornar iguais a ele; não deuses, mas santos. Como ele fará isso? Por meio da Bíblia, do Espírito Santo e das circunstâncias. Deus opera em nosso caráter. A palavra grega traduzida como caráter em Romanos 5.4 significa "testado e aprovado". É algo que passou pelo fogo, que foi atormentado ou castigado, mas passou no teste.

Você já viu um comercial de TV com um gorila carregando uma mala? Em um aeroporto, vê-se uma mala sobre a esteira, e, em vez de ser apanhada gentilmente por um simpático cavalheiro, ela é maltratada por um gorila. Ele arrasta a mala por todo o lugar, pisa nela, pula sobre ela e a joga para cima. Bem, essa mala tem caráter, é confiável, passou no teste. Esta semana talvez você seja maltratado no trabalho ou criticado em casa, mas Deus pode usar essas situações para operar em sua vida.

O que direi agora é uma das afirmações mais importantes que eu farei nas páginas deste livro. A grande verdade é a seguinte: Deus produz o fruto do Espírito em nós ao permitir que enfrentemos situações e conheçamos pessoas cheias exatamente das qualidades opostas.

Como Deus produz amor em nossa vida? É fácil amar pessoas amáveis ou pessoas exatamente como nós. Entretanto, para nos ensinar o verdadeiro amor, Deus nos cerca de algumas pessoas nada amáveis. Aprendemos sobre o amor verdadeiro amando aquela pessoa chata no trabalho ou aquele vizinho desagradável. Deus nos ensina a amar fazendo-nos praticar o amor com os "detestáveis".

O mesmo acontece com a paz. Todos podem sentir paz em situações pacíficas. Isso não forma o caráter. Deus nos ensina a ter paz em meio ao caos total, quando tudo está desmoronando. O telefone toca, a campainha soa, alguma coisa transborda sobre o fogão, o bebê chora e o cachorro morde o gato. É nesse momento que podemos realmente aprender a sentir paz interior. Deus opera da mesma forma com cada fruto que desenvolve em nós.

É preciso tempo

Mais uma questão. É preciso tempo para o fruto amadurecer. Nada amadurece instantaneamente e não existe crescimento espiritual instantâneo. Ele leva tempo. Quando tentamos amadurecer as frutas "na marra", elas ficam com um gosto ruim. Você já comeu tomates amadurecidos quimicamente? Talvez já os tenha comprado no mercado. Se os fazendeiros colhessem os tomates e os despachassem, chegariam amassados ao mercado; por isso, apanham tomates verdes (talvez eu esteja revelando um segredo comercial aqui) e borrifam co_2 antes de enviá-los ao mercado. O gás amadurece os tomates verdes rapidamente. Não há nada de errado com esses tomates. Mas, se você já comeu um tomate amadurecido naturalmente, sabe que não há comparação. O fruto precisa de tempo para amadurecer e Deus precisa de tempo para amadurecer o fruto em sua vida.

Você pode começar dizendo a Deus, neste instante, que deseja ser um cristão produtivo, fecundo, e que deseja cooperar com o plano dele. Dedique-se à leitura, ao estudo, à memorização e à meditação da Bíblia. Peça a Deus que use a Palavra e transforme seu modo de pensar. Convide o Espírito Santo a reinar livremente em sua vida. Não esconda nada. Ore e fale com ele sobre tudo. Aceite as circunstâncias como parte do plano de Deus para mudar sua vida. Peça a ele para ajudá-lo a reagir diante das pessoas difíceis e das situações desagradáveis como Jesus reagiria. Deus quer produzir o fruto do Espírito em sua vida. Você está disposto a cooperar com ele nesse processo transformador?

{3}
Tornando-se uma pessoa mais amorosa

No fim de 1Coríntios 13, lemos estas palavras já bem conhecidas: "Assim, permanecem agora estes três: a fé, a esperança e o amor. O maior deles, porém, é o amor". O amor também é o primeiro fruto do Espírito mencionado em Gálatas 5. Mas o que é o amor?

Amor é provavelmente a palavra mais mal compreendida do mundo. Parte do problema é que a usamos para uma porção de coisas. Diluímos seu significado por excesso de uso. Amo minha esposa. Amo meu país. Amo *pizza*. Amo meu cachorro. Amo você. Você seria um amor, se esfregasse minhas costas. Usamos a palavra *amor* de maneiras tão diferentes que ela praticamente perdeu o significado.

É difícil dar ou receber amor quando nem mesmo compreendemos o que ele é. Agora, é preciso esclarecer algumas interpretações populares e erradas a respeito disso. Muitas pessoas pensam que o amor é um sentimento, um friozinho no estômago, um calafrio, uma torrente de emoções. O verdadeiro amor produz sentimentos, mas é mais do que isso.

Em uma tira do *Peanuts*, Charlie Brown e Linus estão conversando, e Linus diz:

— Ela é tão bonitinha. Eu a via todas as semanas na escola dominical. Ficava lá, sentado, olhando para ela e, às vezes, ela sorria para mim. Agora me disseram que ela trocou de igreja.

Charlie Brown revira os olhos e diz:

— Lá vai você agora mudar de teologia!

Com frequência nos deixamos levar por nossos sentimentos e fazemos coisas que normalmente não faríamos. Como disse, o amor produz sentimentos, que podem ser até muito fortes, mas ele é mais do que isso.

Outro erro é achar que o amor é incontrolável. Você já disse alguma vez: "*Estou* amando", como se tivesse dado um passo em falso? Presumimos que o amor não pode ser controlado: "Não tenho culpa se estou amando. Não posso fazer nada; estou amando." Ou o oposto: "Não tenho culpa; simplesmente não o amo mais". Falamos como se o amor fosse incontrolável, mas a Bíblia diz que o amor é controlável. Na realidade, Jesus *ordenou* que nos amássemos uns aos outros. Suas palavras indicam que temos controle sobre quem amamos ou não.

O amor se resume em duas coisas. Primeiro, é uma questão de escolha. A Bíblia diz: "Acima de tudo, porém, revistam-se do amor, que é o elo perfeito" (Colossenses 3.14). Observe estas duas palavrinhas: *revistam-se*. O amor é algo que podemos escolher. Se fosse um sentimento, não teríamos controle sobre ele. No entanto, temos controle sobre uma escolha e o amor é uma escolha. Ele é controlável.

A Bíblia também diz que o amor é uma questão de conduta. O amor é algo que fazemos, uma ação, e não um sentimento. O apóstolo João expressou-o da seguinte maneira: "... não amemos de palavra nem de boca, mas em ação e em verdade" (1João 3.18). Com demasiada frequência, amamos com palavras ou com a boca, e não com atos. Um jovem disse à noiva:

— Eu a amo tanto, querida, que morreria por você.

Ela respondeu:

— Ah, Haroldo, você sempre diz isso, mas nunca cumpre.

O amor é mais do que palavras. É mais do que sentimentos. Ao contrário de nós, os gregos tinham quatro palavras para descrever diferentes tipos de amor: *storge*, que significa afeição natural, *eros*, que significa atração sexual, *philia*, que significa afeição emotiva ou amizade, e *agape*, que significa amor incondicional, altruísta ou sacrificial. Quando a Bíblia fala do amor de Deus por nós e do tipo de amor que devemos ter por ele e pelas pessoas, a palavra é sempre *agape*. É o compromisso de agir.

Você acha que é possível amar alguém de quem você não gosta? Lembre-se do que eu disse no capítulo 2: para nos ensinar a amar, Deus nos coloca perto de pessoas detestáveis. É fácil amar pessoas gentis e amáveis, mas, para nos ensinar a amar, Deus coloca algumas pessoas difíceis em nossa vida. O fato é que a vida está cheia de pessoas das quais não gostamos. Às vezes, não gostamos do jeito que elas falam, da maneira pela qual agem, de como se vestem. Todavia, em geral, tendemos a não gostar das pessoas que não gostam de nós. Uma vez, ouvi uma história sobre *lady* Astor, que não gostava de Winston Churchill. Um dia ela disse:

— Winston, se você fosse meu marido, eu colocaria arsênico no seu chá.

Churchill respondeu:

— Se a senhora fosse minha esposa, eu o beberia!

Se você parasse um minuto para pensar, provavelmente faria uma lista de pessoas de que não gosta. Talvez sejam pessoas com as quais você tem problemas de convivência. Algumas pessoas são difíceis de amar em algum momento, inclusive você, mas há aquelas que são difíceis de amar a qualquer momento.

Jesus jamais exigiu que tivéssemos um afeto caloroso por todos. Ele não era muito afeiçoado aos fariseus. Não precisamos gostar de todos (não é um alívio?), mas temos de amá-los. Estou certo de que podemos aprender a amar a todos se seguirmos alguns passos.

Antes de mostrar como amar aos outros genuinamente, pense naquela pessoa que você acha difícil de amar: um parente chato, um vizinho criador de caso ou um colega de trabalho desagradável. Como aprender a amar esse tipo de pessoa? Eis aqui cinco passos.

Experimente o amor de Deus

Primeiro, antes de amar os outros, devemos sentir e compreender o profundo amor de Deus por nós. Lemos em Efésios: "E oro para que Cristo se sinta mais e mais à vontade em seus corações, morando em vocês à medida que confiarem nele. Que vocês aprofundem suas raízes no solo do amor maravilhoso de Deus; e que possam ser capazes de *sentir* e *compreender*, como devem todos os filhos de Deus, quão extenso, quão largo, quão profundo e quão alto é, na realidade, o seu amor; e por si mesmos *experimentar* este amor" (Efésios 3.17,18; *BV*; grifos do autor).

Faça um círculo ao redor das palavras *sentir, compreender* e *experimentar* nessa passagem. Deus quer que sintamos e compreendamos seu amor. Por quê? Lemos em 1João 4.19 que amamos porque Deus nos amou primeiro. Por que é importante se sentir amado por Deus? Porque pessoas não amadas geralmente não são nada amáveis. Quando alguém não se sente genuinamente amado, não sente vontade de amar. Por isso, primeiro precisamos experimentar o amor de Deus. Jesus disse: "Amem-se uns aos outros como eu os amei" (João 15.12). É esse exemplo que devemos seguir.

Perdoe seus inimigos

O segundo passo para aprender a amar aos outros é perdoar aqueles que nos ofenderam. Colossenses 3.13 diz: "Suportem-se uns aos outros e perdoem as queixas que tiverem uns contra os outros. Perdoem como o Senhor lhes perdoou". É impossível amar alguém completamente e, ao mesmo tempo, ressentir-se com outra pessoa. Não posso realmente amar minha esposa se estiver com raiva de meus pais. Não posso amar meus filhos se estiver com raiva de meu irmão. Você não pode dar total amor quando seu coração está dividido. E a amargura é um coração dividido.

Agora você deve estar pensando: "Não posso amar meu marido. Ele é uma pessoa maravilhosa, mas simplesmente não posso amá-lo". Você provavelmente ainda está reagindo ao seu passado e armazenando ressentimentos contra alguém. Isso é que a impede de amar seu marido. E isso não é justo. Não é justo para com ele.

Muitas pessoas têm uma causa justa para sua ira. Recentemente, ouvi uma notícia no rádio de que uma em cada três mulheres e um em cada sete homens são maltratados durante a vida. Mas temos de abandonar o passado para conviver com o presente. Para começar a amar as pessoas hoje, temos de fechar a porta do passado. E há apenas um jeito de fazê-lo: perdoando! Perdoe aqueles que o magoaram, para o seu próprio bem, e não porque eles merecem. Faça-o para que seu coração se cure. As pessoas do seu passado não podem continuar magoando você no presente a menos que você lhes permita, guardando rancor contra elas.

Sempre que você se ressente contra alguém, lhe dá um pedaço do seu coração. Você lhe dá um pouco de sua atenção, um lugar no seu pensamento. Você quer que ele tenha esse pedaço? Não. Portanto, tome-o de volta, perdoando. Perdoe aqueles que o magoaram. Em vez de relembrar esse sofrimento constantemente, livre-se dele.

Pense com ternura

O próximo passo para aprender a amar os outros é pensar com ternura. A Palavra de Deus nos lembra: "Não pensem unicamente em seus próprios interesses, mas preocupem-se também com os outros e com o que eles estão fazendo. A atitude de vocês deve ser semelhante àquela que nos foi mostrada por Jesus Cristo" (Filipenses 2.4,5; *BV*). Agora, o que significa pensar com ternura? Significa começar a se preocupar com as necessidades, os sofrimentos, os problemas, os desejos e os objetivos das outras pessoas. É mais fácil compreender o outro quando nos colocamos no seu lugar, como se costuma dizer. É um fato da vida: as pessoas feridas ferem os outros. Se alguém o está ferindo, age dessa forma porque está ferido. Pessoas feridas ferem os outros.

O que precisamos fazer é olhar além de suas falhas e ver suas necessidades. Assim, aprenderemos a amar.

Você já percebeu que as pessoas mais detestáveis e menos amáveis são as que *precisam* mais de amor? As pessoas que você preferiria ignorar são exatamente as que precisam desesperadamente de grandes doses de amor. Todos precisam de amor. Quando a pessoa não consegue receber amor, luta para ganhar atenção. E quando não consegue ganhar atenção de forma positiva, tenta atrair atenção de forma negativa. Inconscientemente, está dizendo: "Serei notada, de um jeito ou de outro".

No capítulo 2, dissemos que os pensamentos determinam emoções. Não podemos mudar nossos sentimentos, mas podemos entrar pela porta dos fundos e mudar os pensamentos. Quando mudamos a maneira de pensar sobre determinada pessoa, gradualmente mudamos o que sentimos por ela. E se, em vez de pensarmos em suas falhas, começarmos a pensar em suas necessidades, mudaremos nossos sentimentos. Experimente e verá!

Aja em amor

O quarto passo para aprender a amar os outros é agir com amor. Você diz: "Rick, você está me dizendo para agir em amor com alguém de quem nem mesmo gosto. Não posso fazer isso. Seria hipócrita". Não, isso se chama amar pela fé. Quem ama pela fé, age para sentir.

É uma questão importante. É mais fácil agir para sentir do que sentir para agir. Se eu agir como se estivesse entusiasmado, logo começarei a me sentir entusiasmado. Se você agir como se estivesse feliz, sem perceber, se sentirá feliz. Comece agora mesmo. Coloque seu melhor sorriso no rosto e comece a rir, ria a valer, de dentro para fora. No começo parecerá forçado, mas vá fundo e crie o movimento físico da risada. Você começará a se sentir feliz. Se começamos a agir com amor, logo sentiremos amor.

Além de nossas atitudes influenciarem nossas emoções, conforme mencionei antes, nossos pensamentos também influenciam nossos sentimentos. Podemos atacar os sentimentos de um dos lados, ou melhor, dos dois lados.

Modifique seus sentimentos indiretamente

Como você pensa ⟶ Como você sente ⟶ Como você age

Se você diz: "Não posso mudar meus sentimentos", está concentrando-se diretamente em seus sentimentos. Você não pode mudar seus sentimentos assim, mas pode mudá-los indiretamente, mudando seus pensamentos *e* suas atitudes.

Agora, como agir com amor? Jesus dá uma pista em Lucas 6.27,28: "Mas eu digo a vocês que estão me ouvindo: Amem os seus inimigos, façam o bem aos que os odeiam, abençoem os que os amaldiçoam, orem por aqueles que os maltratam". Ele nos ordena a fazer quatro coisas específicas.

Primeiro, amar os inimigos. Como amar alguém que está nos fazendo mal? Devemos ignorar seus erros. Efésios 4.2 diz: "Sejam pacientes uns com os outros, tendo tolerância pelas faltas uns dos outros por causa do amor entre vocês" (*BV*).

Depois Jesus ordena: "Façam o bem". Como fazer o bem às pessoas de quem você nem mesmo gosta? Você procura meios de lhes dar alguma coisa. O que você poderia fazer para servi-las, atender às suas necessidades, ajudá-las, beneficiá-las? Você pode lhes dar alguma coisa, caminhar a segunda milha, oferecer ajuda prática, fazer um favor, descobrir quais são suas verdadeiras necessidades e tentar supri-las.

Jesus também nos instrui a abençoar os que nos caluniam. O que ele quer dizer com isso? Está se referindo à maneira pela qual você fala *a respeito* dessas pessoas e *com* elas. Uma bênção é uma palavra positiva enunciada à pessoa ou a respeito dela. Você não despreza, edifica, incentiva. Em Provérbios 12.18, lemos: "A língua dos sábios traz a cura".

Finalmente, Jesus nos ordena a orar por aqueles que nos maltratam. Orar pelas pessoas não muda apenas essas pessoas, mas também a nós. Como oramos? Oramos para que Deus abençoe essas pessoas que estão nos maltratando, porque a bondade de Deus leva ao arrependimento. Talvez Deus as abençoe de tal maneira que desejem mudar. Mas, mesmo que não mudem imediatamente, o fato de orarmos por elas mudará nossa atitude para com elas.

Assim, como você pode ver, o amor é uma atitude. Diz 1Coríntios 13 que o amor é paciente, bondoso e muito mais. Quinze atitudes estão relacionadas nos versículos de 4 a 8. Quando você age com amor, quando é paciente, gentil ou bondoso, está demonstrando o fruto do Espírito. O amor não é apenas o primeiro fruto mencionado, mas na verdade *o único*. Todos os outros são meras expressões do amor. O amor é paciente, bondoso, alegre. O amor é o fundamento de todas as atitudes positivas.

Primeiro você deve compreender que Deus ama você. Depois começará a senti-lo, não apenas intelectual, mas intimamente. Assim, perdoará àqueles que lhe fizeram mal para se libertar do passado e poder amar no presente. Então, pensará com ternura, agirá com amor e os sentimentos começarão a fluir.

Espere o melhor

O último passo para aprender a amar os outros talvez seja, de alguma forma, o mais difícil: esperar o melhor deles. Espere o melhor dessa pessoa de quem você nem mesmo gosta. Em 1Coríntios 13.7 lemos: "Se você amar alguém [...] sempre acreditará nele, sempre esperará o melhor dele" (*BV*). Observe as palavras *esperará o melhor*. O amor espera o melhor. Você já descobriu que temos a tendência de corresponder às expectativas das pessoas? O pai que sempre diz ao filho: "Você nunca chegará a ser alguém; não passa de um burro" está destinando o filho ao fracasso.

Quando esperamos o melhor, extraímos o melhor. Isso é amar pela fé. E amar pela fé é a maior de todas as forças do mundo.

O amor é contagioso e muda as pessoas. Pode transformar a personalidade!

Talvez você esteja pensando: "Eu gostaria de mudar meu cônjuge". Você quer saber como mudar seu cônjuge? Posso lhe revelar o segredo em uma única frase: trate as pessoas, sejam elas seus filhos, seu cônjuge, seus colegas *como gostaria que fossem*. Você quer que seu cônjuge tenha sucesso? Trate-o como uma pessoa bem-sucedida. Quer que seus filhos sejam espertos? Trate-os como se fossem inteligentes, e não estúpidos. Trate-os como você gostaria que fossem. Não faça disso um ato de manipulação, mas porque você genuinamente acredita neles. O amor espera o melhor.

Agora, você deve estar pensando: *Bem, estou atolado num casamento que está morto ou agonizante. Não existe mais nenhuma centelha de vida. Já houve amor, mas não existe mais. Já houve sentimentos, mas não existem mais.* Talvez você tenha ouvido aquela dolorosa declaração: "Não amo mais você". O que fazer nesse caso? Acabar com o casamento? Não, peça a Deus que ressuscite aqueles sentimentos de amor.

Experimente o poder divino da ressurreição

No capítulo 1, falamos sobre o poder da ressurreição. Esse poder ressuscitou Jesus dos mortos e também pode ressuscitar um relacionamento. Como reacender um amor perdido?

"Será que posso reaprender a amar o meu cônjuge? Será que ainda posso ter aqueles sentimentos que eu tinha quando estávamos namorando? Será que posso recapturar esses sentimentos?"

Sim, você pode.

"Mas o amor acabou e não volta mais. Não sinto mais nada por ele."

Você pode recuperar esses sentimentos se decidir fazê-lo. Não diga: "Vou me forçar a amar". Isso não funciona. Não se pode forçar um sentimento. Você não pode reacender a centelha de vida num relacionamento, mas pode atacar o problema indiretamente pensando e agindo com amor. Seus pensamentos e atos produzirão sentimentos de amor.

Em Apocalipse 2, Cristo fala à igreja de Éfeso. Ele fala de um amor que essas pessoas perderam: o amor por Deus. Seu amor havia se tornado estéril e desapaixonado, pois eles apenas cumpriam seus deveres para com Deus. Jesus nos instruiu a dar três passos para reacender esse amor. Esses passos também podem ser poderosamente aplicados para reacender qualquer relacionamento. Jesus diz: "Você abandonou o seu primeiro amor. *Lembre-se* de onde caiu! *Arrependa-se* e *pratique* as obras que praticava no princípio" (Apocalipse 2.4,5; grifos do autor).

O primeiro passo para ressuscitar o amor é *lembrar-se* dele: "Lembre-se de onde caiu!" (v. 5). Reacender um amor perdido no casamento começa com pensamentos sobre como você costumava amar seu cônjuge. Lembre-se dos momentos felizes. Lembre-se das qualidades que então conquistaram o seu coração. Você deve se decidir a lembrar das experiências que partilharam juntos, os acontecimentos que os aproximaram. Pode ser o período de namoro, o início do casamento, o nascimento de um filho ou a compra da primeira casa própria. Seja o que for, comece lembrando dessas coisas. Não pense nas coisas ruins. Essas são fáceis de lembrar. Em vez disso, escolha e se concentre nas coisas boas que aconteceram em seu relacionamento.

O segundo passo que Jesus nos instrui a dar na ressurreição do amor é *arrepender-se*. A palavra *arrepender* vem do vocábulo grego *metanoia*, que significa mudar de mentalidade, mudar a maneira de pensar. Então, quando Jesus lhe diz para se arrepender, o convoca para que comece a mudar sua maneira de pensar a respeito dessa pessoa que você deixou de amar. Pare de fantasiar como poderia ter sido. Pare de sonhar acordado sobre como a vida seria se você estivesse casado com outra pessoa. Pare de pensar sobre como a vida seria se seu cônjuge fosse diferente ou tivesse feito isso ou aquilo. Pare de se torturar com conjecturas. Você está atraindo sentimentos infelizes com esses pensamentos. Pare de fantasiar e comece a pensar de maneira positiva, tendo pensamentos puros, do tipo apresentado em 1Coríntios 13. Se quiser reconstruir um amor em sua vida, memorize 1Coríntios 13. Medite sobre isso e comece a agir de acordo.

O terceiro passo que Jesus nos instrui a dar na ressurreição do amor é *fazer as coisas que você fez no princípio*. O amor precisa de ação. Você tem de agir e amar seu cônjuge com a mesma força e criatividade do namoro e do noivado. Faça as coisas que fez no início. Talvez vocês não tenham uma noite romântica há meses ou mesmo anos. Talvez não encontrem tempo para ficarem juntos há meses. Reservem um tempo para saírem juntos e fazerem tudo que faziam no princípio, como comprar flores, vestir uma roupa especial. Deixe a criatividade fluir novamente.

Pare de achar que o jardim do vizinho é mais bonito. A verdade é que o jardim não é mais bonito no lado de lá da cerca nem do lado de cá. O jardim é mais bonito onde você rega! Se parar de gastar energia se queixando e fantasiando e investi-la para melhorar seu relacionamento, terá um grande casamento. Você recuperará os sentimentos perdidos, por mais tempo que tenha se passado desde então. O amor funciona se você trabalhar nele.

Se você se identifica com o problema de tentar ressuscitar um amor agonizante, permita-me desafiá-lo a fazer duas coisas. Primeiro, entregue-se totalmente a Jesus Cristo. Francamente, não tenho muitas esperanças nos casamentos que não se fundamentam no compromisso com Jesus Cristo. Todas as pressões da cultura moderna operam contra o casamento. As estatísticas do divórcio são uma prova. O fato é que o amor humano não é suficientemente forte para enfrentar as tempestades da vida. Ele se desgasta. Mas o *agape*, o amor divino, nunca se esgota.

A raiz do seu problema é espiritual. Não é um problema emocional ou relacional. Seu relacionamento com Deus afeta o relacionamento com seu cônjuge e com todas as pessoas. Enquanto você não se acertar com Deus, não se acertará com ninguém. Os planos vertical e horizontal têm de estar equilibrados. Um afeta o outro. Se, primeiro, você corrigir o relacionamento vertical com Deus, o horizontal com as pessoas ficará mais fácil.

O Espírito Santo pode enchê-lo com novas reservas de amor de uma forma que você jamais imaginou ser possível. Você precisa do amor de Deus, do poder de Deus. Por isso, entregue sua vida totalmente e sem reservas a Jesus Cristo.

A segunda coisa que você deve fazer para reacender seu casamento é entregar-se totalmente e sem reservas ao seu cônjuge, apesar de suas falhas e imperfeições. Não caia na síndrome do *eu a amaria se*: "Eu o amaria *se* você prestasse mais atenção em mim. Eu o amaria *se* você fizesse isto ou aquilo por mim". Isso é amor condicional. O amor de Deus é o tipo de amor que diz: "Eu o amo e ponto final. Eu o amo incondicionalmente". Na realidade, o amor de Deus diz: "Eu o amo apesar de...". Ele diz: "Eu o amo apesar do fato de você ser imperfeito. Eu o amo apesar do fato de você ter problemas. Eu o amo". Esse é o amor *agape*, o tipo de amor que faz diferença.

Por isso, ore por uma ressurreição e decida fazer o que Jesus diz: lembre-se, arrependa-se e aja. Você ficará surpreso ao ver a rapidez com que seus sentimentos retornarão.

{4}
A decisão de regozijar-se!

Todos querem ser felizes. Se você perguntar a uma pessoa qual sua maior ambição na vida, provavelmente ela dirá: "Quero apenas ser feliz". No condado de Orange, na Califórnia, onde moro, ser feliz é assunto sério. Quero dizer, trabalhamos para isso. É um lugar totalmente diferente. Temos a ideia de que devemos ser alegres o tempo todo. Devemos agir com alegria, conversar com alegria, exalar alegria e, certamente, parecer feliz. E, se não formos felizes, devemos fazer de conta que somos. Coloque uma máscara e lembre-se de que deveria estar se divertindo muito.

Parecer feliz o tempo todo gera estresse. Vejo uma porção de pessoas fingindo alegria em vez de viver a realidade. O fato é que não recebemos uma "nota 10" perfeita todos os dias. Nem tudo acontece de acordo com o que planejamos. Alguns dias são desastrosos. Sejamos honestos agora.

O dia é ruim quando...

Você sabe que o dia será ruim quando faz um telefonema e é mal atendido, quando a buzina dispara e emperra no exato momento em que você está atrás de uma gangue dos "Hell's Angels"[1] na estrada, quando dá uma dentada em um suculento bife e os seus dentes ficam presos nele.

---
[1] Clube de motociclistas formado em 1948 na Califórnia, Estados Unidos, famoso pela violência e considerado por muitos uma organização criminosa [N. do E.].

É fácil ser feliz quando tudo dá certo. Mas e o resto da vida? Somos felizes apenas quando tudo dá certo? Nesse caso, seríamos infelizes a maior parte da vida.

Como permanecer positivo em um mundo negativo? Como permanecer otimista quando tudo está desmoronando? É aí que a alegria entra. Paulo declara em Gálatas 5.22: "Mas o fruto do Espírito é [...] alegria". E, em Filipenses 4.4, nos lembra: "Alegrem-se sempre no Senhor. Novamente direi: Alegrem-se!".

A felicidade depende dos acontecimentos. Ela é derivada da palavra *feliz*, que significa sorte ou acaso: "Estou feliz hoje porque tudo deu certo".

A alegria é diferente, é mais profunda. A alegria é uma atitude, uma escolha. A alegria é um trabalho interno. Não depende das circunstâncias. É escolha sua alegrar-se. Essa é a verdade básica deste capítulo. Você pode escolher, apesar das circunstâncias, alegrar-se.

É a alegria que torna a vida prazerosa. Quando aprendemos a optar pela alegria, a vida se torna muito mais rica. Os cristãos podem ser as pessoas mais positivas do mundo. Por quê? Romanos 5 oferece três motivos.

Ter esperança

Romanos 5 começa com as palavras: "Tendo sido, pois, justificados pela fé, temos a paz com Deus, por nosso Senhor Jesus Cristo, por meio de quem obtivemos acesso pela fé a esta graça na qual agora estamos firmes; e nos gloriamos na esperança da glória de Deus" (v. 1,2). Paulo continua explicando que o resultado da experiência da graça de Deus é que "nos gloriamos na esperança da glória de Deus" (v. 2). Para o cristão, nenhuma situação é completamente desesperadora.

Dizem que uma pessoa pode viver quarenta dias sem alimento, três dias sem água, oito minutos sem ar, mas nem um minuto sem esperança. Precisamos de esperança. Alguns pesquisadores

A decisão de regozijar-se!

da Universidade de Cornell estudaram 25 mil prisioneiros da Segunda Guerra Mundial. Concluíram que uma pessoa pode aguentar quase tudo se tiver esperança.

As pessoas têm esperança, mas não a fundamentam em algo sólido. É uma esperança artificial, fabricada. E muitas pessoas fundamentam a esperança em coisas erradas: na bolsa de valores, numa boa aparência, num bom emprego, numa boa família. No entanto, todas essas coisas são temporárias e podem desaparecer. Quando desaparecem, a esperança também acaba. A alegria, a verdadeira felicidade, é impossível sem esperança.

Entretanto, os cristãos têm um motivo para ser positivos. Podemos nos regozijar porque nos regozijamos na esperança. Em Romanos 12.12, Paulo nos lembra: "Alegrem-se na esperança". Paulo está falando da nossa esperança em Cristo. A esperança que temos em Cristo é o primeiro motivo por que podemos nos regozijar, mesmo nas situações difíceis.

Deus tem um propósito

Além disso, podemos nos regozijar porque Deus tem um propósito em cada situação. Romanos 5.3 diz: "Também nos gloriamos nas tribulações, porque sabemos que a tribulação produz perseverança". A palavra grega traduzida aqui como "tribulação" significa sofrimento e se refere a tudo que nos pressiona. Foi traduzida de diversas maneiras, como "provações", "sofrimentos", "pressões" ou "problemas". Muitas pessoas têm a ideia errada de que, quando se livrarem de seus problemas, serão felizes. Mas nunca nos livraremos de todos os problemas enquanto estivermos vivos. Você não descobriu ainda que, depois de resolver um grande problema, percebe problemas menores, dos quais não tinha consciência enquanto se concentrava no maior? Alegria é aprender a desfrutar a vida apesar dos problemas. Não é ausência de sofrimento, mas a presença de Deus. Por isso, Paulo diz que nos regozijamos no sofrimento. Deus está sempre conosco.

Não interprete mal essa ideia do regozijo no sofrimento. Paulo não está dizendo que você deva fingir. Não está falando em ser um cristão do tipo Poliana, com um sorriso de plástico no rosto, fazendo de conta que tudo está bem, negando a realidade e agindo como se nada estivesse errado. Não, Deus não espera que você seja um impostor ou um hipócrita. Não está falando sobre a negação de coisas que são ruins em sua vida, se realmente forem ruins, nem está falando de masoquismo. Alguns cristãos têm esse complexo de mártir. Pensam que, quanto mais sofrem, mais espirituais são: "Estou realmente sofrendo por Jesus e, portanto, sou um excelente cristão". O sofrimento *pode* produzir coisas boas em sua vida, mas Paulo não está falando de masoquismo.

Observe o que Paulo diz: "nos gloriamos *nas* tribulações". Faça um círculo sobre essa palavrinha *nas*. Ele não está dizendo que nos regozijamos *por causa de* nossas tribulações. Não está dizendo que gostamos do sofrimento, que nos alegramos *nele* porque sabemos que existe um propósito por trás dele. Os cristãos podem ser positivos até mesmo em uma situação negativa porque sabem que Deus tem um propósito para permitir aquela situação. Temos uma perspectiva que os não cristãos não têm. E a nossa perspectiva sempre determina como reagimos diante dos acontecimentos que nos cercam.

Recentemente, li uma carta que uma universitária escreveu a seus pais. Ela demonstra claramente como a perspectiva influencia nossas reações. A carta dizia:

Queridos mamãe e papai:

> *Sinto muito por ter ficado tanto tempo sem escrever. Infelizmente, todos os meus papéis de carta foram destruídos na noite em que o nosso dormitório foi incendiado pelos grevistas. Agora já recebi alta do hospital, e os médicos disseram que, cedo ou tarde, recuperarei a visão. Bill, o maravilhoso rapaz que me salvou do incêndio, ofereceu-se gentilmente para partilhar comigo seu*

pequeno apartamento até que o dormitório seja reconstruído. Ele é de uma boa família, por isso vocês não devem se surpreender quando lhes disser que vamos nos casar. Na realidade, como vocês sempre quiseram um neto, gostarão de saber que serão avós no próximo mês.

P.S.: Por favor, ignorem minha redação acima, que fiz para a aula de português. Não houve incêndio, e eu não fui hospitalizada, não estou grávida e nem mesmo tenho um namorado. Entretanto, tirei d em francês e E em química, e só queria ter certeza de que vocês receberiam estas notícias sob a devida perspectiva.

A perspectiva faz toda a diferença do mundo. A forma como você reage diante dos problemas no trabalho, em casa, com a saúde, depende da sua perspectiva. Paulo diz que, como cristãos, podemos nos alegrar até mesmo em períodos difíceis, porque temos esperança e sabemos que Deus está operando em nossa vida. Temos perspectiva.

Paulo nos lembra: "Sabemos que a tribulação *produz...*". Faça um círculo ao redor dessa palavra. O sofrimento pode ser produtivo! Ele realiza alguma coisa. Os problemas têm um propósito. Suas provações e dificuldades têm valor. É mais fácil lidar com o sofrimento quando sabemos que ele tem um propósito, que não é em vão.

Tive o privilégio de assistir ao parto dos meus três filhos. Permita-me contar-lhe a respeito. Vi o sofrimento no rosto de minha mulher no trabalho de parto. Agora, sei por que o chamam de "trabalho". Contudo, também vi a expressão em seu rosto quando a enfermeira colocou o bebê recém-nascido, enrolado em um pano, em seus braços cansados. Ela revelava que o esforço e a dor tinham valido a pena, produziram uma nova vida!

Agora, o que exatamente nosso sofrimento produz? Primeiro, Paulo diz que produz perseverança (Romanos 5.3). A palavra grega traduzida como perseverança significa literalmente "a capacidade de lidar com a pressão", de aguentar, nunca desistir, mas continuar em frente. Quando passamos por uma dificuldade sem desistir, nosso caráter e nossa confiança são fortalecidos, capacitando-nos a lidar com pressões ainda maiores no futuro.

A seguir, Paulo diz que a perseverança produz caráter (Romanos 5.4). Essa palavra ocorre apenas cinco vezes na Bíblia e significa "confiabilidade". É como a mala de que falamos, que foi jogada de um lado para o outro no aeroporto. Essa mala tem caráter, é confiável. Deus quer fazer de você esse tipo de pessoa e usa o sofrimento para isso. Ele usa os problemas de sua vida para produzir perseverança e caráter. E é o caráter, não as circunstâncias, que produz regozijo.

Então, Paulo diz que o caráter produz esperança (Romanos 5.4). Lembre-se de que a palavra *esperança*, na Bíblia, não significa "eu quero" ou "eu preciso". Significa confiança no poder de Cristo. Em vez de destruir a nossa esperança, os problemas destinam-se a desenvolvê-la!

Seja como for, um problema que você mesmo criou, que alguém lhe causou ou que o Diabo provocou foi Deus quem permitiu. Se você é cristão, nada acontece em sua vida por acaso.

É de vital importância assimilarmos o fato de que há um propósito por trás de nossos problemas, mas também é importante compreender que os problemas não produzem automaticamente a perseverança, o caráter e a esperança. Talvez você conheça pessoas que passaram por situações difíceis, mas as dificuldades e os sofrimentos não produziram nenhum caráter positivo na vida delas. Em vez disso, tornaram-se amargas, iradas e tensas. A perseverança, o caráter e a esperança são produzidos em nós apenas quando *optamos* pela atitude certa. E qual é a atitude certa? *Alegria* é a atitude certa. Quando aprendemos a nos regozijar no problema, não *por causa do*, mas *no* problema, Deus o utiliza para o bem em nossa vida.

Tiago reproduz o ensinamento de Paulo sobre esse assunto: "Meus irmãos, considerem motivo de grande alegria o fato de passarem por diversas provações, pois vocês sabem que a prova da sua fé produz perseverança" (Tiago 1.2,3). Observe, novamente, que a alegria vem porque "sabemos". Sempre é uma questão de perspectiva. Tiago continua: "E a perseverança deve ter ação completa, a fim de que vocês sejam maduros e íntegros, sem lhes faltar coisa alguma" (v. 4). Deus diz que os problemas em sua vida têm a finalidade de produzir maturidade.

Nenhum estudo da alegria cristã seria completo sem mencionar o livro de Filipenses. Se você quiser compreender a alegria, leia Filipenses. Nessa pequena carta, Paulo fala mais de dez vezes sobre regozijo e alegria. Destaque esses versículos e medite sobre eles. Memorize alguns deles de modo que Deus possa usá-los para produzir alegria em sua vida.

A propósito, você sabe onde Paulo estava quando escreveu essa carta cheia de alegria? Estava na prisão! Em geral, não pensamos sobre a prisão como um lugar de regozijo, mas Paulo aprendeu a estar contente em qualquer situação, e sua alegria não dependia de circunstâncias. Os cristãos podem estar alegres em momentos difíceis porque sempre há esperança e porque o propósito de Deus sempre é maior do que qualquer problema!

Ele está conosco

Em Romanos 5.11, Paulo menciona o terceiro motivo por que podemos estar alegres: "Nós nos alegramos por causa daquilo que Deus fez por meio do nosso Senhor Jesus Cristo, que agora nos tornou amigos de Deus" (*NTLH*). Podemos nos regozijar, não importam as circunstâncias, porque Deus está sempre com aqueles que creem nele, em qualquer lugar ou situação. Como cristãos, fomos reconciliados com Deus por meio de Jesus Cristo. Tornamo-nos seus amigos, e essa amizade durará para sempre.

Reserve alguns minutos agora mesmo para meditar em Isaías 43.2: "Quando você atravessar águas profundas, eu estarei ao seu lado, e você não se afogará. Quando passar pelo meio do fogo, as chamas não o queimarão" (*NTLH*).

Talvez você precise desse versículo esta semana. Ele está dizendo que, se for cristão, Deus estará com você e nada poderá oprimi-lo. Nada poderá destruí-lo, nem o Diabo, (ele não tem poder suficiente), nem as pessoas, e Deus não irá fazê-lo. *Nada poderá oprimi-lo!* Não importa o que tenha de enfrentar na vida, você nunca estará sozinho. *Esse* é o motivo para regozijar-se!

Desenvolva um exercício espiritual

A alegria é como um músculo. Quanto mais você o exercita, mais forte ele fica. Sugiro quatro exercícios para desenvolver a alegria interior. Faça esses quatro exercícios nas próximas seis semanas e veja a diferença em sua vida. Garanto que você se tornará uma pessoa mais positiva, mais alegre. Funcionou em minha vida anos atrás, quando tomei essa decisão.

Primeiro, desenvolva a atitude da gratidão. Em 1Tessalonicenses 5.18, lemos: "Deem graças em todas as circunstâncias, pois esta é a vontade de Deus para vocês em Cristo Jesus". Essa é a atitude da gratidão. Observe novamente que não devemos ser gratos *por* todas as circunstâncias, mas devemos ser gratos *em* todas as circunstâncias.

Os psicólogos dizem que a gratidão é a emoção mais saudável que existe. Hans Seyle, o precursor dos estudos sobre o estresse, declarou que a gratidão produz mais energia emocional do que qualquer outra atitude na vida. Você já percebeu que as pessoas mais gratas são as mais felizes que você conhece?

Eu o desafio a pensar em maneiras de expressar gratidão esta semana e ver a diferença. Talvez você possa escrever um bilhete a alguém expressando sua gratidão ou dar um telefonema para dizer a uma pessoa o quanto ela é importante em sua vida. E não se esqueça de expressar gratidão a Deus. O salmista diz: "Meu coração exulta de alegria, e com o meu cântico lhe darei graças" (Salmos 28.7). Se você não for uma pessoa alegre, comece cantando hinos de louvor a Deus e observe como sua atitude mudará.

Em segundo lugar, cultive a alegria interior pela doação. Jesus ensina: "Há maior felicidade em dar do que em receber" (Atos 20.35). Dizem que, quando se trata de dar, as pessoas não se interessam. O que a Bíblia diz? "Deus ama quem dá com alegria" (2Corintios 9.7). Por quê? Talvez porque nos tornemos mais parecidos com ele quando damos, e Deus não dá resmungando.

Além disso, nosso ato de dar determina o quanto Deus pode fazer em nossa vida. Quando lhe damos com alegria, abrimo-nos para receber dele com abundância. Em Malaquias 3.10, está escrito: "Tragam o dízimo todo ao depósito do templo, para que haja alimento em minha casa. Ponham-me à prova", diz o SENHOR dos Exércitos, "e vejam se não vou abrir as comportas dos céus e derramar sobre vocês tantas bênçãos que nem terão onde guardá-las". Ninguém consegue dar mais do que Deus. É o "desafio celestial"! Não podemos superar Deus. Como disse um velho fazendeiro: "Eu jogo uma 'pazada' no depósito de Deus, e ele joga uma 'pazada' no meu — e Deus tem uma pá maior".

O terceiro jeito de desenvolver a alegria interior é por meio do serviço: dedique a vida a ajudar os outros. Jesus disse que devemos perder a vida a fim de salvá-la (Marcos 8.35). Na epístola aos Efésios, Paulo nos lembra: "Sirvam aos seus senhores de boa vontade, como servindo ao Senhor, e não aos homens, porque vocês sabem que o Senhor recompensará cada um pelo bem que praticar, seja escravo, seja livre" (Efésios 6.7,8). As pessoas mais felizes, em geral, estão tão ocupadas servindo e ajudando os outros que nem param para se perguntar: "Sou feliz?".

O exercício final para desenvolver a alegria interior é falar de Cristo aos outros. Jesus diz que há regozijo no céu quando uma pessoa vem a Cristo pela fé (Lucas 15.10). Minha maior alegria foi quando entreguei a vida a Jesus Cristo; minha segunda maior alegria tem sido apresentar Cristo aos outros. Imagine a cena no céu. Alguém a quem você deu testemunho aproxima-se de você e diz: "Quero agradecer-lhe por ter-se importado comigo.

Estou aqui porque você se importou em me falar de Jesus". Pode acreditar que será um momento de regozijo, o ápice da alegria, pois ela começa aqui e agora, quando ajudamos no nascimento de um novo filho na família de Deus.

De vez em quando, encontro algum cristão que diz: "Perdi a alegria". A pergunta que quero fazer é: "Quando foi a última vez que você levou alguém a Cristo?". Geralmente faz muito tempo. Com referência aos seus companheiros judeus, Paulo disse: "O desejo do meu coração e a minha oração a Deus pelos israelitas é que eles sejam salvos" (Romanos 10.1). Peça a Deus para lhe dar uma responsabilidade assim.

A alegria parece difícil porque os próprios exercícios que a produzem vão contra o que a nossa cultura ensina sobre ela. Nossa cultura diz: "Viva para si mesmo e esqueça os outros". Mas nosso Senhor diz que a alegria vem quando desenvolvemos uma atitude de gratidão e damos nossos bens materiais, nosso tempo e nosso conhecimento sobre as boas-novas. Eu o desafio a experimentar esses quatro exercícios durante seis semanas. Se os praticar fielmente, garanto que será uma pessoa mais alegre.

{5}
Vida pacífica em um mundo hostil

Todos querem paz de espírito. Seja você um empresário que enfrenta pressões de prazos a cumprir no escritório, uma dona de casa tentando controlar as crianças, um estudante simplesmente tentando passar nas provas, todos querem paz de espírito. Muitos de nós, se forem honestos consigo mesmos, terão de admitir que experimentam mais estresse do que paz.

Que familiaridade você tem com o estresse? Vamos fazer um pequeno teste. Complete cada uma das frases a seguir com a palavra apropriada:

> *Estou a ponto de...*
> *Estou no fim das minhas...*
> *Sou apenas um punhado de...*
> *Minha vida está...*
> *Não sei mais o que...*
> *Parem o... que eu vou...*

Como foi? Se você respondeu *desistir de tudo, forças, nervos, desmoronando, fazer, mundo, descer,* ganhou nota 10. Você é especialista na questão do estresse! Muitos de nós murmuram essas palavras com bastante frequência, a ponto de quase se tornarem um hábito.

O estresse é um fato infeliz da vida no mundo moderno. Todos estão estressados. Todos estão tensos. As estatísticas dizem que o povo americano consome 15 toneladas de aspirina por dia. A venda de tranquilizantes está sempre em alta. Livros sobre paz de espírito transformam-se imediatamente em *best-sellers*.

Dizem que estresse em demasia não é saudável. Que novidade! Sabemos disso há séculos. Há cerca de 3 mil anos, Salomão escreveu: "O coração em paz dá vida ao corpo, mas a inveja apodrece os ossos" (Provérbios 14.30). A Bíblia tem muito a dizer sobre o estresse, e ainda mais sobre o antídoto: a paz de espírito. Mas o que é paz?

Você precisa de três tipos de paz

A Bíblia fala de três tipos de paz. Primeiro, a *paz espiritual*. A paz espiritual é a paz *com* Deus. Romanos 5.1 diz: "Tendo sido, pois, justificados pela fé, temos a paz com Deus, por nosso Senhor Jesus Cristo". Esse é o fundamento, a base. Precisamos ter paz com Deus para ter qualquer outro tipo de paz. Espero que você tenha encontrado essa paz. Há apenas um caminho, e é por meio de Jesus Cristo (João 14.6).

A seguir, vem a *paz emocional*. A paz emocional é a paz *de* Deus. Primeiro precisamos ter paz *com* Deus; a paz espiritual, e, depois, a paz *de* Deus, a paz emocional. Isso é o que a maioria de nós pensa quando fala da palavra paz: um sentimento interno de bem-estar e ordem.

Colossenses 3.15 diz: "Que a paz de Cristo seja o juiz em seu coração, visto que vocês foram chamados para viver em paz". A palavra grega traduzida como *juiz* aqui foi usada apenas uma vez na Bíblia e significa "arbitrar". Esse versículo diz que devemos deixar que a paz de Deus seja o árbitro em nossa vida. O que um árbitro faz? Ele mantém a paz. Garante que o jogo prossiga de maneira correta e ordeira. Deus quer lhe dar um árbitro interno que o manterá na paz mesmo quando tudo parecer caótico.

Você já ouviu alguém dizer: "Quero sumir"? Talvez você mesmo tenha dito isso. Você já se sentiu tão cansado à noite, que o seu corpo desmoronou na cama, mas a sua mente não desligou? Ela simplesmente corre de um pensamento para outro. Bem, você *pode* sumir. Você pode ir hoje para o Taiti, mas, se não tiver paz emocional, sua mente continuará correndo acelerada pelas praias do Taiti. Não dá para fugir de si mesmo. É preciso ter paz espiritual e emocional.

Em terceiro lugar, é preciso ter *paz nos relacionamentos* ou com as outras pessoas. Isso é o que a Bíblia chama de paz *com os homens*. Romanos 12.18 diz: "Façam todo o possível para viver em paz com todos". A paz nos relacionamentos reduz conflitos.

Tenho certeza de que você concorda que os relacionamentos podem ser uma fonte de estresse. Em geral, nossos maiores problemas são com as pessoas: entender-se com o chefe, a família, os parentes. Temos de lidar constantemente com os conflitos, as competições e as críticas. Essas coisas roubam a nossa paz.

Precisamos desesperadamente de paz espiritual, emocional e nos relacionamentos, mas será que podemos de fato encontrá-las?

Compreenda a promessa da paz de Deus

Veja o que Jesus nos prometeu em João 14.27: "Deixo com vocês a paz. É a minha paz que eu lhes dou; não lhes dou a paz como o mundo a dá. Não fiquem aflitos, nem tenham medo" (*NTLH*). Ele enunciou essas palavras pouco antes de ir para a cruz.

Observe que Jesus diz que sua paz é um presente. Não podemos trabalhar por ela nem merecê-la. Não podemos nos preparar para ela. Não podemos obtê-la por mais que nos esforcemos. É um presente que simplesmente aceitamos.

Ele também diz que a sua paz é diferente da paz que o mundo dá. A paz do mundo é frágil. Quantos cessar-fogo tivemos nos últimos anos? Alguém calculou que, nos últimos 3500 anos, o mundo teve 286 anos de paz. A paz que o mundo oferece é temporária.

Por último, a paz de Deus não depende das circunstâncias. Ela nos permite ficar tranquilos em meio aos problemas. Agora, como obter essa paz? A seguir, apresento cinco segredos para alcançar a perfeita paz de Deus.

Obedeça aos princípios de Deus

Primeiro, se queremos paz, temos de obedecer aos princípios de Deus encontrados em sua Palavra. Faça apenas o que a Bíblia diz. O salmista diz: "Os que amam a tua lei desfrutam paz, e nada há que os faça tropeçar. [...] Obedeço aos teus testemunhos; amo-os infinitamente!" (Salmos 119.165,167). Deus diz que temos paz quando vivemos em harmonia com ele, quando fazemos o que nos diz para fazer.

Recentemente, comprei um carro. No porta-luvas, costuma vir o manual do proprietário. Esse manual diz que, se eu fizer determinadas coisas em determinados momentos, meu carro durará mais.

A Palavra de Deus é o seu manual do proprietário para a vida. Ele contém princípios de saúde, finanças, casamento, relacionamentos, negócios e muito mais. Você pode ignorar esses princípios, mas nesse caso não pode acusar ninguém por seus problemas. Se não obedecer a esses princípios, não experimentará paz. Da mesma forma que um carro funciona bem quando você o dirige de acordo com seu plano de funcionamento, sua vida será melhor se estiver de acordo com o plano de Deus, apresentado em sua Palavra. Isso é simples. Para estar em paz, obedeça aos princípios de Deus.

Aceite o perdão de Deus

A seguir, se quisermos ter paz, temos de aceitar o perdão de Deus. O que significa perdão? Significa libertação do castigo, indulto.

A culpa é uma grande destruidora da paz para muitas pessoas. Quando nos sentimos culpados, sentimo-nos perseguidos e caçados pelo passado. E se alguém descobrir? E se alguém encontrar o esqueleto no armário? É o que lemos nos jornais a respeito de pessoas que, trinta anos depois de o fato ter acontecido, tentam reparar algum erro que cometeram no passado. Elas dizem: "Vivi um inferno durante trinta anos e tinha de me livrar desse peso". A única maneira de ganhar paz de espírito é ter a consciência limpa, e apenas Deus pode lhe dar isso.

Miqueias 7.18 diz: "Quem é comparável a ti, ó Deus, que perdoas o pecado e esqueces a transgressão do remanescente da sua herança? Tu, que não permaneces irado para sempre, mas tens prazer em mostrar amor". Observe que Miqueias diz que Deus tem prazer em — quer, anseia — limpar a sua ficha. Faz parte da natureza divina. Ele gosta de perdoar. Dizem que Deus tem um grande apagador. A Palavra de Deus diz: "Se confessarmos os nossos pecados, ele é fiel e justo para perdoar os nossos pecados e nos purificar de toda injustiça" (1João 1.9). O perdão de Deus está disponível; portanto, se você não tem a consciência limpa, limpe-a hoje.

Concentre-se na presença de Deus

Se quisermos ter paz, devemos nos concentrar na presença de Deus. Temos de entender que Deus está sempre conosco e aprender a sentir sua presença. Isaías 26.3 nos lembra a fixar nossos olhos em Deus: "Tu conservarás em paz aquele cuja mente está firme em ti, porque ele confia em ti" (*AEC*). Temos a opção de olhar para os problemas ou olhar para Deus, que tem a solução. Corrie ten Boom escreveu: "Quanto mais negra a noite que nos cerca, mais luminosa e verdadeira e mais belamente incandescente é a Palavra de Deus".[2] Se você olhar para o mundo, ficará desesperado; se olhar para dentro de si, ficará deprimido; no entanto, se olhar para Cristo, encontrará descanso. Aquilo em que você se concentra determina o nível

---

[2] The Hiding Place. Guideposts, p. 177 [*O refúgio secreto*. Betânia, 2000].

de paz pessoal. Concentre-se na presença de Deus; ele está com você, e prometeu nunca deixá-lo.

Sexta-feira à noite, no escritório de nossa igreja, às vezes, fazemos coisas bobas. Uma noite, estávamos brincando com pontos de estresse. Você sabe o que são pontos de estresse? James Dobson falou deles em seu programa de rádio, por isso lhe escrevemos e recebemos o jogo. São pequenos pontos sensíveis à pressão que você coloca na mão. Conforme o nível de adrenalina é alterado no organismo, os pontos mudam de cor e mostram se você está estressado. Nós os experimentamos para ver se podíamos afetar o nível de estresse uns dos outros. Lembro-me de ter dito: "Não seria magnífico se tivéssemos uma pequena luz de advertência interna que nos avisasse sempre que desviamos a mente do Senhor? Ou se tivéssemos um pequeno bipe ou sinal luminoso para avisar que não estamos em harmonia com Deus?". Então me lembrei de que temos esse sinal de advertência! Chama-se tensão, ou estresse. Ficar tenso é uma indicação clara de que desviamos os olhos do Senhor e nos fixamos nas circunstâncias. Olhamos para o problema e não para a solução. Quando olhamos para o problema, ficamos tensos. Contudo, tente lembrar-se de que o estresse é a maneira de Deus dizer: "Endireite seu foco: olhe para mim".

O salmista diz: "Deus é o nosso refúgio e a nossa fortaleza, auxílio sempre presente na adversidade" (Salmos 46.1). Mais adiante, no mesmo capítulo, ele nos lembra: "Aquietai-vos e sabei que eu sou Deus" (Salmos 46.10; *ARA*). Esses versículos têm antecedentes interessantes. Não foram escritos por Davi; esse salmo foi escrito durante o período de Ezequias, muitos anos depois de Davi. A nação de Israel estava sendo atacada por Senaqueribe, rei da Assíria. Os soldados inimigos haviam cercado Jerusalém, e os israelitas estavam tensos. Sabiam que seriam derrotados, por isso fizeram essa oração. Cinco minutos antes do meio-dia, Deus atacou os assírios com uma praga e 185 mil deles morreram. Jerusalém foi salva, e todos ficaram felizes. Esses são os antecedentes desse salmo. Isso nos faz lembrar de que Deus é o nosso refúgio; ele é a nossa força, por mais esmagadoras que sejam as situações. É um auxílio sempre presente em momentos de adversidade!

Esse salmo revela duas coisas para obtermos a ajuda de Deus em momentos de adversidade. A primeira é *aquietarmo-nos* quando temos problemas. A palavra hebraica aqui significa acalmar-se, relaxar. Dizem que a maioria dos problemas advém da incapacidade de nos aquietar. Quando foi a última vez que você apenas ficou sentado e se concentrou no Senhor? Faça isso agora mesmo. Respire fundo, relaxe e concentre-se na presença de Deus ao seu redor. Faça isso 50 a 60 vezes por dia, sempre que sentir que a tensão está se acumulando. Tire rápidas férias mentalmente. Aquiete-se. A pressa é a morte da oração.

Além de dizer para nos aquietarmos, o Senhor nos lembra: "*Sabei que eu sou Deus*". Você sabia que bem no meio de um furacão ou tornado há um centro calmo que se chama olho? Da mesma forma, ainda que tudo esteja desmoronando ao redor, pode haver um centro sossegado em sua vida. *Aquiete-se* e *saiba*. Obedeça aos princípios divinos, aceite o perdão de Deus, concentre-se na presença dele "e a paz de Deus, que excede todo o entendimento, guardará o coração e a mente de vocês em Cristo Jesus" (Filipenses 4.7).

Confie no propósito de Deus

Se quisermos experimentar a paz de Deus, temos de confiar no propósito divino. Mesmo que as coisas não façam sentido, devemos confiar nos propósitos dele. Veja o que diz Provérbios 3.5,6: "Confie no SENHOR de todo o seu coração e não se apoie em seu próprio entendimento; reconheça o SENHOR em todos os seus caminhos, e ele endireitará as suas veredas". Quantos verbos você encontrou nesses versículos? São quatro.

Primeiro, *confiar*, depois *apoiar, reconhecer* e *endireitar*. Os três primeiros verbos são mandamentos: confie, apoie e reconheça. O quarto foi usado para expressar uma promessa. Deus diz: "Eu endireitarei as suas veredas".

Consideremos o verbo confiar por um momento. Você já percebeu que há uma porção de coisas na vida que não faz sentido? Você sente que uma porção de coisas na vida está fora do seu controle? O que você faz em tais situações? Confia! Na verdade, é tudo o que pode fazer. A frase: "Não se apoie" diz o mesmo. Não tente entender a vida. Fazemos isso o tempo todo, não é mesmo? Desperdiçamos tempo e energia sempre tentando entender as coisas. Deus insiste em que apenas confiemos nele.

As pessoas em geral se preocupam com dois problemas comuns: doença e morte. Todos enfrentam doenças e morrerão um dia. Como ter paz quando uma pessoa amada está com uma doença terminal? Como reagir quando um amigo morre inesperadamente? Deus diz para confiarmos nele, sem tentarmos entender isso sozinhos.

Muitos já me disseram em mais de uma ocasião que só tiveram paz quando finalmente pararam de querer entender por que Deus permitiu que algo acontecesse e simplesmente começaram a confiar nele. Precisamos enfrentar o fato de que nem todas as nossas dúvidas serão respondidas nesta vida.

Uma das lições que estou aprendendo lentamente é que não preciso compreender *quando, como* e nem *por que* Deus faz o que faz; tudo que tenho a fazer é confiar nele para experimentar sua paz. Se luto para entender as coisas é porque não confio de fato em Deus e provavelmente não terei paz. Temos de confiar a Deus nossa vida e a vida de nossos entes queridos.

O escritor de Provérbios nos exorta a confiar em Deus e a não depender de nosso próprio entendimento. Então, nos lembra de reconhecer Deus. Agora, o que significa reconhecer Deus? Significa reconhecer e aceitar o fato de que ele está soberanamente no controle do Universo, inclusive daquela parte em que nós habitamos. Temos de reconhecer que Deus está no controle e não comete erros. Um dia, farei um sermão sobre palavras ou frases que nunca ouvimos Deus dizer. Uma dessas palavras será: *Opa!* Deus nunca precisa dizer "opa", porque nunca erra. Tudo que acontece em nossa vida se encaixa no plano divino para nós. Ele usa cada situação, até mesmo os problemas, os sofrimentos e as dificuldades, para realizar seu propósito em nossa vida. Tudo se encaixa perfeitamente no plano e no propósito divino para você. O que Deus espera de você é que confie nele sem tentar compreender. Reconheça que ele está no controle.

Quando o fizer, tem a promessa de que ele "endireitará" sua vida ou, como diz a *NTLH*, "ele lhe mostrará o caminho certo" (Provérbios 3.6). Muitos de nós, quando tentamos endireitar a vida, seguimos caminhos tortuosos, cheios de indecisão: "Devo fazer isto ou aquilo? Devo ir por aqui ou por ali?". A indecisão produz estresse. Contudo, quando confiamos no Senhor, ele dirige nossos passos e os torna retos, sem estresse.

O apóstolo Paulo aprendeu essa lição. Estava em paz porque sabia que Deus dirigia sua vida. Mesmo trancado em uma prisão romana, escreveu: "Aprendi o segredo de viver contente em toda e qualquer situação, seja bem alimentado, seja com fome, tendo muito, ou passando necessidade" (Filipenses 4.12). Então, ele conta o "segredo" que aprendeu: "Tudo posso naquele que me fortalece" (4.13). Observe que foi algo que Paulo precisou *aprender*; não aconteceu naturalmente com ele, como não acontece conosco. Paulo *aprendeu* a confiar no Senhor e a permitir que ele dirigisse sua vida — e contentou-se; ficou em paz. O lugar mais seguro, mais sereno para ficar é no centro da vontade de Deus.

Uma das minhas cenas prediletas na Bíblia é quando Jesus e os discípulos estão pescando em um barco no mar da Galileia e uma tempestade começa a cair. Você se lembra da história? Está em Lucas 8.22-25, se quiser reler os detalhes. O que me fascina é que Jesus podia dormir mesmo no furor da tempestade. Sabemos que a tempestade foi séria pela reação dos discípulos. Lembre-se: alguns deles eram pescadores experimentados; já tinham passado por muitas tempestades antes, mas acharam que daquela vez não escapariam. No meio do temporal e de toda a agitação dentro do barco, Jesus dormiu profundamente. Como conseguiu dormir? Ele sabia uma coisa que os discípulos não sabiam: tudo estava sob controle. Não parecia estar, mas com uma palavra de Jesus a tempestade se acalmou.

Pedro aprendeu uma coisa com o incidente: a necessidade de uma boa noite de sono. Alguns anos depois, ele foi detido pelo rei Herodes e colocado na prisão para ser executado. Uma noite antes da execução de Pedro, Deus enviou um anjo para libertá-lo. Lemos isso em Atos 12. Observe que o anjo precisou cutucar o lado de Pedro para despertá-lo (v. 7). Pedro estava dormindo como uma pedra! Por quê? Porque confiava no Senhor para endireitar sua vida. Isso é paz, a verdadeira paz!

Peça a paz de Deus

Se quisermos a paz de Deus, temos de pedi-la. Também em Filipenses 4, Paulo diz: "Não andem ansiosos por coisa alguma, mas em tudo, pela oração e súplicas, e com ação de graças, apresentem seus pedidos a Deus. E a *paz de Deus*, que excede todo o entendimento, guardará o coração e a mente de vocês em Cristo Jesus" (v. 6,7; grifo do autor). Observe a ordem: primeiro, oração, depois paz. É uma relação de causa e efeito. A oração é a causa; a paz é o efeito.

Se você não está orando, provavelmente está se preocupando. E a preocupação é uma emoção inútil, um desperdício, o oposto da paz; elas não podem coexistir. A palavra *ansiedade* vem da raiz germânica *angh*, que significa "sufocar". É isso que a ansiedade faz: sufoca a vida. Jesus disse o mesmo ao explicar a parábola do semeador em Lucas 8. Veja suas palavras: "As que caíram entre espinhos são os que ouvem, mas, ao seguirem seu caminho, são sufocados pelas preocupações, pelas riquezas e pelos prazeres desta vida, e não amadurecem" (v. 14). Entendeu? "Sufocados pelas preocupações [...] da vida."

Quando as pressões aumentarem, não entre em pânico, ore! A oração é um tremendo alívio para o estresse e pode ser sua válvula de escape. Quando as pressões aumentarem e você sentir que está para explodir, abra a válvula de escape da oração. Transforme seus anseios em orações.

Há algum tempo, assisti a um seminário sobre gerenciamento do estresse e uma das coisas que aprendi é que todos precisam de um ouvinte incondicional para descarregar a tensão: "Fale com o seu bichinho de estimação", foi uma das sugestões. O princípio é válido: precisamos de um ouvinte incondicional para descarregar a tensão, alguém que não fique estressado quando nos abrirmos com ele e que não nos despreze pelo que dissermos. Entretanto, uma conversa de coração aberto com um *hamster* não é o ideal de Deus. Quem melhor do que Deus para "despejarmos" a tensão? Na realidade, Pedro utiliza essa imagem quando diz: "Lancem sobre ele toda a sua ansiedade, porque ele tem cuidado de vocês" (1Pedro 5.7). Lance sobre o Senhor! Deus não ficará "estressado" com o que você lhe contar. Ele já sabe tudo sobre você e o ama de qualquer forma. O professor do seminário teve a ideia certa, apenas não pensou na Pessoa certa. Afinal, orar é falar com Deus. Conte-lhe o que está em sua mente, o que o perturba, e reconheça o controle dele sobre o Universo e também sobre sua vida. Peça-lhe que atenda às suas necessidades. Ele pode fazer isso melhor do que todo um bando de *hamsters*.

"Não se perturbe o coração de vocês", Jesus disse a seus discípulos. "Creiam em Deus; creiam também em mim" (João 14.1). Você não experimentará paz verdadeira e duradoura enquanto Jesus Cristo não assumir a sua vida. A paz, lembre-se, não é uma vida sem problemas; é um sentimento de calma em meio às tempestades da vida.

O que está roubando a sua paz hoje? É a culpa? Volte-se para Deus e peça perdão. É um anseio? Uma mudança de emprego? As finanças? Uma cirurgia importante? Uma pessoa difícil? Você pode falar com Cristo sobre tudo isso e qualquer outra coisa que o estiver preocupando. Você se sentirá melhor depois e lembre-se: ele pode fazer alguma coisa a respeito!

Qual é o seu medo mais profundo? Solidão, fracasso, morte, enfermidade, mudanças, responsabilidade? Faça esta oração bastante conhecida, chamada Oração da Serenidade: "Deus, dá-me serenidade para aceitar as coisas que não posso mudar, coragem para mudar as coisas que puder e sabedoria para distinguir as duas". O maravilhoso subproduto de sua oração será a paz.

… # {6} Desenvolvendo sua paciência

John Dewey disse que a virtude mais útil do mundo é a paciência. O fato é que precisamos dela o tempo todo e em todo lugar. Provérbios 16.32 diz: "Melhor é o homem paciente do que o guerreiro, mais vale controlar o seu espírito do que conquistar uma cidade".

Anos atrás, quando passava por uma dificuldade, comecei a orar: "Senhor, dá-me mais paciência". Esperava que meus problemas diminuíssem, mas pioraram! Então eu disse: "Senhor, dá-me mais paciência", e os problemas ficaram realmente ruins! Mais tarde percebi que Deus havia mesmo atendido à minha oração. Eu havia me tornado mais paciente, graças aos problemas.

Quando Deus "testa" a nossa paciência, nos dá a verdadeira paciência. É fácil parecer paciente quando tudo está certo, mas o que acontece quando as coisas ficam ruins? Talvez você seja como a pessoa que orou: "Senhor, dá-me paciência, mas eu quero agora!".

Há uma tira do *Peanuts* que começa com Lucy orando ao lado da cama. Então, ela se levanta, sai e diz ao Linus: "Eu estava orando para ter mais paciência e compreensão, mas desisti". Então, no último quadrinho ela diz: "Fiquei com medo de ser atendida".

Você tem medo de orar por paciência e ser atendido? Você tem paciência? Aqui estão quatro maneiras de testar sua paciência.

Teste sua paciência

O primeiro teste são as *interrupções*. Você sabe o que quero dizer: quando se senta para jantar, e o telefone toca, quando vai ao banheiro, um vendedor bate à porta ou quando está trabalhando para cumprir um prazo, chega uma visita. Nossos melhores planos geralmente são interrompidos.

Você tem de lidar com interrupções no trabalho? Anime-se. Johannes Brahms, quando estava compondo sua "Canção de ninar", sofreu tantas interrupções na vida que levou sete anos para terminá-la. Algumas pessoas pensam que ele simplesmente adormecia ao piano.

Até os discípulos se impacientavam com as pessoas que interrompiam a agenda de Jesus (Mateus 19.13,14). Eles disseram: "Não, não tragam suas crianças a Jesus agora. O Mestre está ocupado" (paráfrase do autor).

Como você lida com as interrupções? Esse é o primeiro teste de paciência.

Os *transtornos* são o segundo teste de paciência. Como você lida com os transtornos em sua vida? Nós, americanos, odiamos nos atrasar. Somos a "geração imediatista" com a mentalidade instantânea do micro-ondas. Queremos tudo em questão de segundos. Temos arroz de minuto, café instantâneo e *fast-food*. E não gostamos de esperar.

Queremos as informações na hora também, relatórios atualizados. Nas eleições, os pesquisadores de opinião pública apresentam resultados antes mesmo da votação. Uns cem anos atrás, as pessoas não se preocupavam em perder uma diligência. Sempre podiam pegar outra no dia seguinte ou alguns dias depois. Hoje temos um ataque cardíaco quando perdemos a vez numa porta giratória! Temos muita pressa, precisamos nos movimentar. Não podemos esperar!

Em Lucas 10.40, lemos a respeito de uma mulher que não tinha paciência diante dos transtornos. Jesus está na casa de

Maria e Marta, e Marta está ocupada preparando uma refeição. Ela está aborrecida com Maria porque a irmã deixou todo trabalho para ela. Podemos até ouvir o tom de sua voz quando diz a Jesus: "Senhor, não te importas que minha irmã tenha me deixado sozinha com o serviço? Dize-lhe que me ajude!". Talvez você se sinta assim. Talvez esteja carregando o fardo mais pesado e se sinta sobrecarregado e transtornado. Você gostaria de ficar sentado aos pés de Jesus também, mas há trabalho a ser feito e parece ser o único a perceber e se dar conta disso. Como você reage? É paciente apesar do transtorno?

O terceiro teste de paciência são as *irritações*, as pequenas coisas na vida que o deixam irritado. Como você lida com elas? Aqui está uma lista de irritações sobre as quais ouvi no mês passado: congestionamento de trânsito, filas longas, telefonemas, chaves fora do lugar, comida fria, aviões atrasados, pneus furados, banheiros ocupados, vizinhos roqueiros. Sem dúvida, você tem sua própria lista. Algumas dessas irritações são controláveis, mas a maioria não é. Por isso, temos de aprender a conviver com elas, o que exige paciência.

Moisés estava irritado com os israelitas na ocasião registrada em Números 20.10,11. Aguentava suas queixas e críticas há anos e tinha perdido a paciência. Quando Deus lhe ordenou que mandasse a rocha dar água, bateu nela com raiva. Sua impaciência levou-o a desobedecer a Deus. Como resultado, Deus não permitiu que entrasse na terra prometida. Moisés era paciente, em geral, mas até mesmo pessoas pacientes têm limites; pelo menos é o que parece.

O livro do ano de 1982 da *Enciclopédia Britânica* conta a respeito de um homem chamado Brian Heise, sob o título "Acontecimentos estranhos ou incomuns":

> *Brian Heise teve mais acontecimentos inesperados do que de costume no mês de julho, e a maioria foi ruim. Quando seu apartamento em Provo, Utah, foi inundado por causa de um*

encanamento que estourou no apartamento de cima, o síndico mandou que fosse comprar um aspirador de água. Então ele descobriu que seu carro estava com um pneu furado. Ele o trocou, então entrou de novo para telefonar a um amigo pedindo ajuda. O choque elétrico que tomou do telefone o assustou tanto que inadvertidamente arrancou o aparelho da parede. Antes de sair do apartamento pela segunda vez, um vizinho precisou abrir a porta com um pontapé porque a água a havia emperrado. Enquanto tudo isso estava acontecendo, alguém roubou o carro de Heise, mas estava quase sem combustível. Encontrou-o a alguns quarteirões adiante, mas precisou empurrá-lo até o posto de gasolina, onde encheu o tanque. Naquela noite Heise assistiu a uma cerimônia militar na Universidade Brigham Young. Ele se feriu gravemente quando, não se sabe como, sentou em cima de sua baioneta, que havia sido jogada no banco da frente do seu carro. Os médicos conseguiram costurar o corte, mas ninguém conseguiu ressuscitar quatro dos canários de Heise que foram esmagados por pedaços de reboco que haviam caído. Depois que Heise escorregou no carpete molhado e machucou seriamente a coluna, começou a imaginar: "Deus queria me matar, mas não estava conseguindo".[1]

E você pensa que teve um mau dia!

Para muitos, as grandes irritações na vida advêm das pessoas. Talvez você se sinta como o motorista de táxi de Nova York que disse: "Sabe? Não é do meu trabalho apenas que eu não gosto, mas das pessoas que eu encontro".

Todos conhecem pessoas irritantes ou deprimentes. Temos de aprender a lição da ostra. A ostra é irritada por um grão de areia e o transforma em uma pérola. Ao aprender a reagir às irritações positivamente, você conseguirá transformá-las em pérolas.

O quarto teste de paciência é a *inatividade*. Em geral, preferimos fazer qualquer coisa a esperar. Odiamos ficar na sala de espera do médico, na fila do supermercado ou de repouso forçado na cama.

---

[1] Tradução livre.

Você sabia que passa seis meses da vida sentado diante dos semáforos esperando o sinal vermelho mudar para verde? E já notou que, se você não se mexer em dois segundos quando a luz verde acender, a pessoa no carro atrás de você fica vermelha? Não é interessante como admiramos a paciência do motorista atrás de nós, mas não daquele que está à frente? Como você lida com a inatividade?

Podemos aprender muita coisa sobre as pessoas observando a forma como elas esperam o elevador chegar ao seu andar. Elas balançam o corpo para frente e para trás, para cima e para baixo ou apertam o botão sem parar, como se isso fizesse o elevador chegar mais depressa. Elas, simplesmente, não conseguem ficar paradas esperando. Precisam fazer alguma coisa para sentir que estão no controle.

Jó é um exemplo de homem que não pôde fazer nada a não ser esperar (não é por acaso que falamos: "paciência de Jó"). Ele disse: "Todos os dias da minha luta esperaria, até que eu fosse substituído" (Jó 14.14, *ARA*). Podemos aprender muito com o exemplo de Jó.

A Bíblia diz: "quem se apressa erra o caminho" (Provérbios 19.2, *NTLH*). Pesquisadores na área da medicina concordam com isso. Eles descobriram uma nova doença chamada "doença da pressa". Os drs. Rosenman e Freedman dizem que 90% das vítimas de ataques de coração têm a personalidade "apressada" do tipo a. Sua impaciência habitual lhes causa problemas.

Então o que provoca a impaciência? Falta de paz. Talvez por isso Deus coloque a *paciência* logo depois da *paz* na lista do fruto do Espírito. Quando temos paz no coração, quase nada pode nos tornar impacientes. Mas, quando não temos paz, quase tudo nos torna impacientes. Então, como aprender a ser paciente? A Bíblia responde que há quatro passos a ser dados.

Desenvolva uma nova perspectiva

Primeiro, desenvolva uma nova perspectiva. Descubra uma nova maneira de enxergar a situação ou a pessoa que está criando problema. A paciência começa mudando a maneira de encarar as coisas. Quando estou impaciente, tenho uma perspectiva limitada. Tudo que vejo é a mim mesmo: *minhas* necessidades, *meus* desejos, *meus* objetivos, *minhas* carências e como você está atrapalhando a *minha* vida. A raiz da impaciência é o egoísmo. Por isso, é preciso obter uma nova perspectiva da vida. É preciso aprender a ver as coisas do ponto de vista dos outros.

Quer saber qual é o segredo do sucesso? Eu digo. Se você quiser ser um bom marido ou uma boa esposa, aprenda a enxergar a vida do ponto de vista de seu cônjuge. Se quiser ser um bom pai ou uma boa mãe, aprenda a enxergar a vida do ponto de vista do seu filho. Se quiser ser um empresário bem-sucedido, aprenda a enxergar a vida do ponto de vista do cliente. Se quiser ser um bom funcionário, aprenda a enxergar a vida do ponto de vista do seu empregador. Olhe para a situação sob a perspectiva dos outros e descubra por que eles sentem e agem daquela maneira. Não há nada melhor para reduzir os conflitos na vida.

Agora veja o que a Bíblia diz no livro de Provérbios. O escritor explica: "A sabedoria do homem lhe dá paciência; sua glória é ignorar as ofensas" (Provérbios 19.11). Observe a palavra *sabedoria*. Você sabe o que é sabedoria: é ver a vida sob a perspectiva de Deus, olhar a situação do ponto de vista divino. Dessa perspectiva, chego a três importantes conclusões:

1) Sou apenas humano; não sou Deus. Naturalmente, Deus sabe disso, mas quer que eu também saiba. Não sou perfeito e não estou no controle. Na realidade, quase tudo que enfrento na vida não posso controlar. Sou apenas humano.

2) Na verdade, ninguém é perfeito; por isso não devo me surpreender nem ficar muito aborrecido quando as pessoas cometerem erros ou me decepcionarem.

3) Deus está no controle e pode usar as situações, as irritações e os problemas que surgem na minha vida para realizar seus propósitos.

Outro versículo de Provérbios declara: "Os passos do homem são dirigidos pelo Senhor" (Provérbios 20.24). Isso significa que você pode experimentar algumas delongas divinas, algumas interrupções celestiais. Às vezes, o Senhor coloca pessoas irritantes ao seu lado com o propósito de lhe ensinar alguma coisa. Adote uma nova perspectiva. Olhe sob o ponto de vista de Deus. Em toda a Bíblia, Deus compara paciência com maturidade. Provérbios 14.29 diz: "O homem paciente dá prova de grande entendimento, mas o precipitado revela insensatez". A paciência é sinal de maturidade. As crianças, em geral, são muito impacientes; elas não sabem a diferença entre "não" e "ainda não". Você já observou que, quando os bebês não conseguem imediatamente o que desejam, ficam muito irritados? A maturidade compreende a capacidade de esperar, de viver sabendo esperar pela recompensa. Um homem de entendimento e sabedoria, que vê a vida sob o ponto de vista de Deus, sabe ser paciente. Por isso, precisamos descobrir uma nova perspectiva.

Tenha senso de humor

Uma segunda maneira de se tornar paciente é desenvolver o senso de humor. Aprenda a rir das circunstâncias. Aprenda a rir de si mesmo. Descubra, de alguma forma, a parte divertida da frustração. Em Provérbios 14.30, encontramos a declaração: "O coração em paz dá vida ao corpo".

Recentemente, li sobre um estudo que indica que as pessoas que riem vivem mais. O humor é um solvente da tensão, um antídoto para a ansiedade, um tranquilizante sem nenhum efeito colateral. O riso é o amortecedor para os choques da vida.

Alguém, certa vez, perguntou ao presidente Lincoln como ele lidava com todo o estresse da Guerra de Secessão americana. Ele disse: "Se não fosse o riso, eu não aguentaria". Muitos comediantes famosos cresceram em bairros pobres com uma porção de problemas e enfrentaram esses problemas aprendendo a rir e fazendo os outros rir.

Por isso, aprenda a rir. Se você conseguir rir de determinada coisa, poderá conviver com ela. E, além disso, se aprender a rir de seus problemas, sempre terá do que rir!

Um dos meus versículos prediletos na Bíblia é Salmos 2.4: "Do seu trono nos céus o Senhor põe-se a rir". Não é um ótimo versículo? Deus tem senso de humor. Você já viu a cara de um orangotango? Deus inventou essa cara! Você gostaria de ser mais parecido com Deus? Aprenda a rir. O senso de humor pode preservar a sua sanidade.

O caráter oportuno de Deus é tão maravilhoso quanto seu senso de humor. Enquanto eu estava datilografando as anotações para este capítulo, minha máquina de escrever IBM Selectric estragou totalmente meu esboço. Então pensei: "Meu caro, você tem duas opções: praticar o que prega e rir desta situação ou ficar aborrecido e irritado". Tenho certeza de que minha esposa e meus filhos ficaram imaginando por que eu estava rindo. Aprenda a rir. É relaxante.

A vida está cheia de situações engraçadas. O comediante americano Will Rogers disse certa vez: "Não conheço histórias engraçadas. Simplesmente observo o governo e conto os fatos". Lemos em Provérbios 17.22: "O coração alegre é bom remédio" (*ARA*). Precisamos, todos, desenvolver o senso de humor.

Aprofunde seu amor

O terceiro passo para tornar-se paciente é aprofundar seu amor. Em 1Coríntios 13.4, temos provavelmente um dos versículos mais claros da Bíblia: "O amor é paciente". Sabe o que isso significa? Significa que, quando sou impaciente, não sou amoroso, porque o amor é paciente. Quando você ama alguém, leva em conta as necessidades, os desejos, os sofrimentos, o ponto de vista dessa pessoa, não apenas os seus. Quando está cheio de amor, quase nada consegue provocar sua ira nem esgotar sua paciência. Quando está cheio de raiva, qualquer coisa pode provocá-lo. Quando está sob pressão, tudo que é reprimido escapa. Por isso, aprofunde o seu amor.

Efésios 4.2 diz: "Sejam humildes e amáveis. Sejam pacientes uns com os outros, tendo tolerância pelas faltas uns dos outros por causa do amor entre vocês" (*BV*). Por que deveríamos ser pacientes uns com os outros? "Por causa do amor."

Havia um colega na faculdade que me importunava bastante. Para piorar, ele fazia de tudo para ficar perto de mim. Era o tipo de pessoa que cuspia nos outros quando falava. A situação ficou tão feia, que, quando ele aparecia no corredor da faculdade, eu dava meia-volta e saía do prédio para evitá-lo. Eu realmente não gostava dele; era uma irritação para mim.

Então, uma noite, li Efésios 4.2 e foi como uma facada no meu coração: "Deus, eu não amo esse sujeito". Lembra-se de que, alguns capítulos atrás, eu disse que você não precisava gostar das pessoas, mas tinha de amá-las? O amor não é um sentimento; é uma opção. E é uma atitude. Então eu disse: "Deus, ajuda-me a amar essa pessoa amanhã. Não para sempre. Ajuda-me apenas a amá-lo amanhã". E então fiz uma oração da qual me arrependi mais tarde. Eu disse: "Deus, se esse rapaz que me irrita pode me tornar mais parecido com Cristo, então que assim seja. Ensina-me a ter paciência. Se esse rapaz que me importuna me tornará mais parecido contigo, peço que, amanhã, ele me irrite mais do que já fui irritado em toda a minha vida". Foi um erro.

Na manhã seguinte, levantei-me e fui para a aula, mas não o vi o dia inteiro. Pensei: "Que ótimo. Gosto desse jeito de aprender a ter paciência. Ótimo, Senhor". Chegou a hora do jantar. Entrei na lanchonete, peguei minha refeição e me sentei. Enquanto jantava, ele me observou; depois se aproximou e disse: "Ei, Rick, não o vi o dia inteiro!". Então, ele deixou cair a bandeja. Seu espaguete esparramou-se sobre a minha cabeça e minha camisa, e sua Coca caiu em minhas calças. Todos na lanchonete olharam para mim, enquanto o macarrão escorria pelas minhas orelhas. No entanto, naquele momento, eu me enchi de amor, de paz e de alegria porque estava preparado. Estava mesmo. Estivera orando o dia inteiro, por isso disse simplesmente: "Louvado seja o Senhor". Tenho certeza de que todos pensaram: "Ele ficou louco".

O que acontece quando louvamos a Deus pelas pessoas que nos irritam? Podemos nos tornar tão parecidos com Jesus, que elas não nos irritam mais. Ou, se for o Diabo usando essa pessoa para perturbá-lo, ela vai parar, porque a situação o está motivando a louvar a Deus. Se você aprender a louvar a Deus em cada situação, desenvolverá uma barreira de louvor em torno de sua vida, que nem mesmo o Diabo poderá atravessar.

Dependa do Senhor

O passo final para desenvolver a paciência é depender de Deus. A paciência não é simplesmente uma questão de força de vontade humana; é o fruto do Espírito. Você não pode simplesmente usar a psicologia e dizer: "Serei paciente nem que morra". Assim, acabará morrendo. Paciência não é força de vontade. Ter paciência não é dizer: "Ele realmente não me irrita", quando lá no fundo você está pensando de fato: *Odeio esse sujeito*. Ter paciência não é usar uma máscara e fazer de conta.

Se você desenvolver a paciência de Deus, o genuíno fruto do Espírito, terá a verdadeira paz interior. Certas situações não o aborrecerão como antes. Por quê? Porque você está dependendo do Senhor.

A paciência é uma forma de fé. Ela diz: "Confio em Deus". Creio que Deus é maior do que esse problema, que tem participação nessas irritações e pode usá-las em minha vida para o bem. A fé nos ajuda a olhar para a vida do ponto de vista divino. A fé nos ajuda a dizer: "Deus, o que queres que eu aprenda nessa situação?", e não: "Por que isso aconteceu?". Por causa da fé não precisamos mais perguntar ao Senhor: "Por que meu pneu esvaziou quando eu estava a caminho de uma reunião importante?".

Em vez disso, podemos perguntar: "O que queres que eu aprenda com esta situação?".

Noé precisou esperar 120 anos pela chuva. É muito tempo para ter paciência. Abraão esperou cem anos para ter um filho. É muito tempo para ter paciência. Moisés esperou quarenta anos no deserto e depois passou outros quarenta anos conduzindo os filhos de Israel pelo deserto em direção à terra prometida. É muito tempo para ter paciência. Todos no período do Antigo Testamento aguardavam o Messias. Nos dias do Novo Tetamento, os discípulos aguardavam o Espírito Santo no cenáculo. A Bíblia é um livro sobre espera. Por quê? Porque esperar demonstra fé, e a fé agrada a Deus.

O fato mais difícil de esperar em Deus é quando você está com pressa, mas ele não está. É difícil sermos pacientes quando aguardamos a resposta de uma oração, quando esperamos por um milagre, quando contamos que Deus mude nossa condição financeira, um problema de saúde, com os filhos, a esposa, o marido ou um parente problemático. É difícil quando temos pressa e Deus não tem, mas esperar pacientemente é uma demonstração de fé, além de um teste. Quanto tempo você pode esperar?

Lázaro era um bom amigo de Jesus, mas um dia ficou muito doente. Maria e Marta, suas irmãs, mandaram um recado para Jesus dizendo: "Senhor, aquele a quem amas está doente" (João 11.3). E a Bíblia diz que, ao saber disso, Jesus esperou deliberadamente mais dois dias antes de partir para Betânia. Quando chegou lá, Lázaro estava morto. Seu corpo já estava selado na sepultura.

Jesus demorou a chegar, mas sabia que não era tarde demais. Foi até a sepultura e chamou: "Lázaro, venha para fora!" (João 11.43). Observe que ele precisou chamar Lázaro pelo nome, porque, se dissesse simplesmente: "Venha para fora", todos os mortos do mundo ressuscitariam! Por isso, precisou ser específico: "Lázaro, venha para fora!". E Lázaro saiu, e estava vivo!

Que lição extraímos disso? A questão é: Deus nunca se atrasa. Chega sempre na hora. O caráter oportuno de Deus é perfeito. Ele pode não seguir a nossa agenda (geralmente não o faz), mas nunca se atrasa. Deus quer que confiemos e esperemos nele. O salmista explica isso da seguinte maneira: "Descanse no Senhor e aguarde por ele com paciência" (Salmos 37.7). Antes, nesse salmo o escritor instrui o leitor a *confiar* no Senhor, *deleitar-se* nele e *entregar* seu caminho a ele. São aspectos da fé e da dependência. Deus deseja que confiemos nele mais do que qualquer outra coisa. A paciência é a prova de nossa fé nele.

Por que devemos ser pacientes? Porque Deus é paciente, e devemos ser como ele. Pedro nos exorta: "Tenham em mente que a paciência de nosso Senhor significa salvação" (2Pedro 3.15). Deus é paciente. Se somos seus filhos, devemos apresentar os traços de sua família. Por isso, o Espírito Santo opera em nossa vida, produzindo paciência. Faz parte do caráter de Cristo.

{7}
Demonstrando um pouco de amabilidade

Em nosso estudo sobre o fruto do Espírito, já examinamos o amor, a alegria, a paz e a paciência. Agora, chegamos ao fruto da benignidade. Colossenses 3.12 diz: "Portanto, como povo escolhido de Deus, santo e amado, revistam-se de profunda compaixão, bondade, humildade, mansidão e paciência". Observe a palavra *revestir-se*. A palavra grega original significa literalmente "vestir". O que Paulo está dizendo é que, ao acordarmos de manhã, precisamos nos vestir espiritual, emocional e fisicamente. Quando você acorda de manhã e decide o que vestir, deve também se perguntar: "Que tipo de atitude terei hoje?". Paulo diz que a bondade é uma escolha. É algo que você pode decidir "vestir" todos os dias.

A amabilidade é o "amor em ação", é algo que se faz, uma demonstração prática de amor que se pode exercitar. Ela é visível e ativa, não apenas emocional. Há uma canção que diz: "Descubra a necessidade e a atenda. Descubra a ferida e a cure". Amabilidade é isso.

Agora, por que devemos ser amáveis? Afinal, a amabilidade pode ser algo arriscado. Você pode ser mal-entendido se for amável com os outros. Eles podem pensar: "Por que essa pessoa está sendo amável comigo? O que ela ganhará com isso?". Além disso, as pessoas com as quais você é amável também podem se aproveitar da situação e se tornar parasitas, sanguessugas, pensando: "Ah! Aqui está um otário. Vou tirar tudo que puder dele".

Portanto, por que devemos ser amáveis? Por dois motivos. Primeiro, devemos ser amáveis porque Deus é amável conosco. Efésios 2.8, na *Nova Tradução na Linguagem de Hoje*, diz: "Pois pela graça de Deus vocês são salvos por meio da fé". A graça e a amabilidade andam sempre juntas. O poeta Robert Burns disse que o coração amável é o que mais se parece com Deus. Devemos ser amáveis apenas porque Deus é bom para conosco.

O segundo motivo por que devemos ser amáveis é o fato de querermos que as pessoas sejam amáveis conosco. Queremos ser tratados de maneira justa. Jesus disse: "Assim, em tudo, façam aos outros o que vocês querem que eles lhes façam" (Mateus 7.12). Se você for rude com as outras pessoas, elas serão rudes com você, mas, se for gentil, a maioria reagirá da mesma forma. Provérbios 21.2 diz: "Todos os caminhos do homem lhe parecem justos, mas o Senhor pesa o coração". E em Provérbios 11.17 lemos: "Quem age com bondade faz bem a si mesmo, e quem pratica a maldade acaba se prejudicando" (*NTLH*). Portanto, quando somos amáveis, estamos na verdade fazendo-nos um favor.

Como podemos ser mais amáveis? O que significa ser amável? Permita-me sugerir cinco características para que você seja uma pessoa amável.

Seja sensível

Primeiro, a pessoa amável é sensível aos outros. Ela tem consciência das necessidades dos que a cercam. Portanto, fique atento às necessidades daqueles que o rodeiam. Entre em sintonia com eles. A amabilidade sempre começa com a sensibilidade. Filipenses 2.4 diz: "Cada um cuide, não somente dos seus interesses, mas também dos interesses dos outros". Sublinhe a palavra *cuidar*. A amabilidade sempre começa com a atenção às necessidades e ao sofrimento dos outros.

Com frequência, no casamento, ficamos totalmente inconscientes das necessidades de nosso cônjuge. Ficamos calejados, paramos de ouvir, esquecemo-nos das pressões que nosso cônjuge sofre. Trocando em miúdos, a causa de muitos problemas conjugais é a insensibilidade.

Todas as pessoas que você encontrar esta semana precisarão de amabilidade porque sofrem de alguma forma, inclusive aquelas que se sentam ao seu lado na igreja. Você simplesmente não as nota na maior parte do tempo. Por isso, a amabilidade começa com a sensibilidade.

Encontramos um exemplo de sensibilidade e amabilidade na vida do rei Davi conforme registrado em 2Samuel 9. Davi foi coroado rei de Israel depois da morte de Saul e levou os israelitas a uma série de vitórias militares. Seu antigo inimigo, Saul, que o havia perseguido durante anos, estava morto, e Jônatas, filho de Saul, também. Agora observe o que Davi fez. Um de seus atos como rei foi perguntar se havia ainda algum parente vivo de Saul para com quem pudesse ser amável. Encontrou um homem, que era neto de Saul, chamado Mefibosete. Que tal se você se chamasse Mefibosete? Provavelmente, seria apelidado de "Fibi". Além de ter um nome incomum, Mefibosete era aleijado dos dois pés.

Quando Davi o mandou buscar, Mefibosete provavelmente pensou: *Serei morto porque faço parte da família do inimigo, a velha dinastia.* Mas observe as palavras amáveis de Davi: "Não tenha medo, [...] pois é certo que eu o tratarei com bondade por causa de minha amizade com Jônatas, seu pai. Vou devolver-lhe todas as terras que pertenciam a seu avô Saul, e você comerá sempre à minha mesa" (2Samuel 9.7). A resposta de Mefibosete é interessante: "Quem é o teu servo, para que te preocupes com um cão morto como eu?" (v. 8). Aparentemente, ele tinha uma péssima autoimagem, mas o importante é que Davi estava interessado em procurar pessoas com as quais pudesse ser amável. Ele era sensível. Existe alguém em sua vida com quem você precisa ser amável esta semana? Com quem você precisa ser sensível?

Dê apoio

Uma segunda característica apresentada pelas pessoas amáveis é o apoio. Estou falando em edificar as pessoas em vez de acabar com elas. Cuidado com o que você diz às pessoas. Dê apoio com suas palavras, fale com delicadeza. Observe o que Provérbios 15.4 diz: "As palavras bondosas nos dão vida nova, porém as palavras cruéis desanimam a gente" (*NTLH*). Você gosta de ficar arrasado? Claro que não. Ninguém gosta. As crianças dizem: "Sou bobo, mas sou feliz, mais bobo é quem me diz". Conversa fiada! As palavras machucam! Os rótulos machucam! Na verdade, a Bíblia diz que a morte e a vida estão no poder da língua. Você pode destruir uma pessoa com o que diz. Portanto, edifique as pessoas com suas palavras. Dê apoio moral a todos que encontrar. Encoraje. Dê força.

Provérbios 10.23 diz: "Os homens direitos sabem dizer coisas agradáveis, porém os maus estão sempre ofendendo os outros" (*NTLH*). Você é o tipo de pessoa que joga na cara dos outros suas fraquezas? Talvez o faça por brincadeira, mas faz e gosta disso. As pessoas amáveis não deixam as pessoas constrangidas.

Vi uma história em quadrinhos na qual Charlie Brown está falando ao telefone com uma menina que diz:

— Ei, Charlie Brown, adivinhe do que eu vou participar? Do concurso da Rainha de Maio em nossa escola.

Charlie Brown diz:

— É muito interessante. Sempre é a Lucy a escolhida em nossa escola.

A menina ao telefone responde:

— Sua escola tem os padrões bem baixos, não acha?

Depois que Charlie Brown desligou o telefone, olhou para Lucy e disse:

— Ela disse: "Parabéns".

Isso é diplomacia, isso é delicadeza.

Até que ponto você oferece apoio aos outros com suas palavras? Você os encoraja ou desanima com suas palavras? Edifica ou derruba? Elogia seus filhos ou implica com eles? Veja por este ângulo: se Deus lhe desse um real por todas as palavras amáveis que você dissesse e lhe tomasse outro pelas palavras indelicadas, você ficaria rico ou pobre? Aprenda a ser sensível. Dê apoio às pessoas com suas palavras.

José é um bom exemplo de homem que proferia palavras amáveis. Tudo parecia estar errado na vida de José. Seus irmãos o trataram como lixo, jogaram-no num poço e o venderam como escravo. Tudo deu errado durante trinta anos em sua vida. Mais tarde, porém, os papéis se inverteram, e José tornou-se o segundo homem mais poderoso em todo o Egito. Seus irmãos vieram procurá-lo de joelhos e, nessa ocasião, José teve a oportunidade de retaliar, de se vingar, mas a Bíblia diz que ele os animou e lhes falou com amabilidade, mesmo depois da morte de seu pai (Gênesis 50.19-21). Boas palavras podem reconstruir uma ponte em um relacionamento desgastado. O cristão deve falar com amabilidade, mesmo diante da oportunidade de retaliar.

Tenha empatia

A terceira característica de uma pessoa amável é a capacidade de ter empatia. Se você quiser ser amável, aprenda a ter empatia. As pessoas apreciam quando você sente empatia por elas, quando sente e sofre com elas. Muitas vezes, quando alguém está passando por uma crise, as pessoas dizem: "Sinto-me tão mal. Simplesmente não sei o que dizer em momentos como este". Bem, não é preciso *dizer* nada. Estar presente é uma expressão de amabilidade. Às vezes, um toque no ombro, uma lágrima, uma palmadinha nas costas ou um aperto de mão é tudo de que a pessoa que está sofrendo precisa. Isso é amabilidade. Romanos 12.15 diz: "Alegrem-se com os que se alegram e chorem com os que choram" (*NTLH*).

Apesar do que se diz sobre a política do ex-presidente Reagan, muitas pessoas admitem que ele sabia expressar emoções sinceras. Quando o ônibus espacial explodiu ou quando um avião transportando soldados americanos caiu, ele recebeu as famílias das vítimas com um abraço, um aperto de mão e lágrimas nos olhos. Líderes fortes não têm medo de revelar suas emoções. Líderes fracos, por sua vez, preocupam-se com o que as pessoas pensam. Os líderes fortes são suficientemente fortes para demonstrar empatia.

Em 2Timóteo 2.24, Paulo diz que a amabilidade é uma marca de liderança espiritual. Homens, isso significa que, se vocês não forem gentis com sua mulher e seus filhos, não serão grandes líderes espirituais, por mais poderosos ou espirituais que pareçam ser em público. Há quanto tempo você não ajuda a arrumar a cozinha? Há quanto tempo não troca uma fralda nem ajuda a arrumar a casa? Talvez você diga: "Sou o líder espiritual; não faço esse tipo de coisa". A Bíblia diz que a amabilidade é uma marca do líder espiritual.

Como você reage quando seu filho adolescente chega em casa com o coração partido? Você diz: "Ah, isso não é nada?" ou sente empatia por ele? Você se lembra dos *seus* anos de adolescência, aqueles anos de timidez e constrangimento? Você se lembra de que, quando aparecia uma espinha, era como uma crise nacional? Contudo, agora, quando o seu filho adolescente fica deprimido por causa de um cravo que apareceu no rosto, você comenta: "Ora, mas que bobagem". Naturalmente, agora é bobagem, mas lembre-se de que era muito importante quando você era adolescente e é muito importante para seus filhos adolescentes. Por isso, sinta empatia por eles.

Você fica empolgado com as coisas que deixam seus filhos empolgados? Isso não é infantilidade, é amabilidade. Fique empolgado com a empolgação dos outros. Há pessoas que precisam que uma bomba exploda embaixo delas para ficarem empolgadas com alguma coisa. Alegre-se com os que estão alegres e chore com os que choram.

O exemplo supremo de uma pessoa empática é Jesus. Em João 11.35, lemos que Jesus chorou na sepultura de Lázaro (comentei esse episódio resumidamente no capítulo 6). Jesus não tinha receio de demonstrar sua emoção. Ele é chamado de "a benignidade de Deus" (Tito 3.4; *AEC*). Jesus é a personificação da delicadeza. Lemos com frequência nos evangelhos que Jesus era "movido por compaixão". Se você quer saber o que é amabilidade, basta olhar para Jesus.

Você será amável se quiser se parecer com Cristo. Não interessa quantos versículos das Escrituras você memorizou ou com que frequência vai à igreja, pois, se não for amável, não será como Jesus. Por isso, aprenda a ser amável sendo sensível, oferecendo seu apoio e tendo empatia.

Seja sincero

A pessoa amável também é sincera. Às vezes, amabilidade significa sinceridade, significa arriscar-se e dizer a verdade. Às vezes, o maior ato de amabilidade que você pode praticar é ser franco com um amigo e dizer-lhe exatamente o que está errado. Provérbios 27.6 diz: "O amigo quer o nosso bem, mesmo quando nos fere" (*NTLH*). Um verdadeiro amigo será franco e dirá: "Você está errado", "Você precisa emagrecer", "Você está prejudicando sua vida" ou "Você cometeu o maior erro de sua vida". O verdadeiro amigo lhe dirá esse tipo de coisa.

Imagine que um médico o examina e depois diz: "Você precisa ser operado" ou "Relaxe, não se preocupe com isso". Qual é a declaração mais amável? Se você precisa de uma cirurgia, o ato mais amável que o médico pode ter é lhe dizer que precisa dela. Assim como um cirurgião que pega o bisturi e corta o paciente, em algumas ocasiões, temos de ferir as pessoas para curá-las. Às vezes, agir com amabilidade significa ser franco.

Costumamos exagerar na amabilidade. A palavra "amabilidade" evoca a imagem de uma senhora idosa com uma touca branca na cabeça. Não compreendemos que, em certas situações, agir com amabilidade significa dizer uma verdade dolorosa. James Dobson escreveu um livro intitulado *O amor tem que ser firme*.[1] É um grande livro. Se você ainda não leu, leia. O livro é sobre casamento e relacionamentos familiares. Dobson explica que amar, algumas vezes, significa agir com firmeza, dizendo: "Não vou deixar que continue fazendo isso. Não vou ficar sentado em silêncio e deixar que arruíne nosso casamento". De quando em vez, quero perguntar aos casais em aconselhamento quando se importarão o bastante para ficar furiosos e dizer: "Quero que o nosso casamento funcione, e não vou me conformar com essa situação!". Quando existe amor, o marido ou a esposa se dispõe a confrontar o outro. Da mesma forma, por causa da amabilidade, os pais às vezes têm de confrontar os filhos e dizer "não".

Há um exemplo bíblico desse tipo de confrontação em Gálatas 2. Pedro foi visitar a igreja de Antioquia, formada principalmente de cristãos gentios e estava apreciando a comunhão com eles. Ele descobriu que, como cristão, não precisava seguir todos os antigos costumes judeus. Acho que Pedro deve ter começado a gostar de sanduíches de presunto: "Puxa, que delícia. E pensar que me privei deles todos esses anos". Quando os cristãos de Antioquia organizavam piqueniques, Pedro possivelmente comia sanduíche de presunto e confraternizava com seus amigos gentios. No entanto, um dia, alguns cristãos judeus vieram de Jerusalém a Antioquia, e Pedro disse: "Bem, talvez seja melhor me sentar e fingir que não sou liberal". Quando Paulo viu isso,

---

[1] Mundo Cristão, 1996.

disse: "Pedro, você está sendo hipócrita". Disse isso porque se importava com Pedro e com os cristãos gentios, que estavam recebendo mensagens conflitantes. Paulo se importa o suficiente para confrontá-lo. Às vezes, o ato mais bondoso que você pode fazer é dizer: "Você está estragando sua vida".

Como saber se devemos confrontar uma pessoa? Como saber quando devemos ser firmes e não complacentes com ela? Faça duas perguntas. Primeiro: estou realmente interessado no bem-estar dessa pessoa? Segundo: estou fazendo um comentário desinteressadamente ou pretendo ficar por perto para ajudar meu amigo a mudar? Às vezes, bondade significa ser sincero, importar-se o bastante para confrontar, e dizer: "Não vou deixar você se destruir. Não vou ficar parado observando você estragar sua vida".

Seja espontâneo

Finalmente, se você quiser ser amável, aprenda a ser espontâneo. Não espere para ser amável. Faça-o sempre que tiver oportunidade. Faça agora. Seja espontâneo.

Gálatas 6.10 diz: "Portanto, enquanto temos oportunidade, façamos o bem a todos, especialmente aos da família da fé". Observe a frase *enquanto temos oportunidade*. Quando devemos ser amáveis? Sempre que tivermos oportunidade.

Você já pensou: *Essa pessoa foi realmente boa para mim. Devia lhe escrever uma carta de agradecimento.* Ou talvez você tenha pensado: *Preciso dar esse telefonema; preciso retribuir com uma lembrança; Quero levar alguma coisa para os vizinhos?* Então você adia a boa obra e continua adiando até se sentir envergonhado porque não fez o que devia. Contudo, em se tratando de amabilidade, boas intenções não valem. A oportunidade talvez não dure até que você "se resolva". As Escrituras dizem que, quando tiver oportunidade de ser amável, seja espontâneo e aja.

O exemplo clássico da amabilidade espontânea nas Escrituras é o bom samaritano. Lembra dessa história? Um homem foi ferido, espancado por salteadores, e largado nu e semimorto à beira da estrada. Passou um sacerdote, olhou para ele e disse: "Ah, não posso me aproximar desse sujeito. Ficarei imundo". Outro líder religioso passou logo depois, mas ao largo. Então passou um samaritano (os judeus consideravam os samaritanos uma raça inferior). O samaritano cuidou dos ferimentos do homem, levou-o à hospedaria mais próxima e deixou o seu cartão de crédito com o dono da hospedaria dizendo: "Cuide dele e ponha tudo na minha conta. Passo por aqui no caminho de volta".

A amabilidade tem preço, mas, quando o samaritano viu a necessidade, não pensou duas vezes. Desvencilhou-se de tudo, sem hesitação. Foi espontâneo. Compare o samaritano com o sacerdote frio e calculista e com o líder religioso, que ficaram imaginando se sua contribuição poderia ser descontada do imposto de renda. Tenho certeza de que o sacerdote provavelmente tinha uma porção de desculpas. Talvez tenha pensado: "Ei, cumpri meu dever no templo. Estou com pressa de chegar em casa". Ou então: "Se eu parar para ajudar esse indivíduo, também posso ser assaltado. Tenho de pensar em minha família". Ou ainda: "Não tenho culpa se ele foi ferido. Deveria ter tido mais cuidado". Ou talvez fizesse um voto: "Farei uma campanha para um policiamento melhor na estrada para Jericó".

A questão é que Jesus contou essa história para nos lembrar de todas as pessoas que nos cercam e que sofrem. Elas sofrem no casamento, no trabalho, de forma física, emocional e espiritual. A pergunta que devemos fazer é: Qual é a minha desculpa para não ajudar os outros? Por que não ser uma pessoa boa?

Se você não aproveitou nada deste capítulo, pense nisto: *O maior inimigo da bondade é a falta de tempo*. Com que frequência dizemos: "Estou muito ocupado. Não tenho tempo para me envolver. Vai atrapalhar a minha agenda. Tenho minhas prioridades e meus problemas para resolver. Estou ocupado demais para fazer uma refeição para a minha vizinha doente. Estou ocupado demais para ajudar as crianças na escola dominical. Estou ocupado demais. Não tenho tempo"? Se essa é a sua resposta, então você realmente está ocupado demais, porque o ministério da amabilidade é para todos.

Seja amável com alguém esta semana

Agora, serei mais direto e específico. Ler um livro sobre como tornar-se uma pessoa amável é uma coisa, mas pensar em como demonstrar amabilidade nesta semana é muito melhor. Reserve alguns minutos para responder a esta pergunta: como, especificamente, eu poderia ser mais amável esta semana? A amabilidade começa com a sensibilidade; portanto, fique atento. Abra os olhos e olhe ao redor.

Seu mundo está cheio de pessoas que precisam de sua amabilidade. O que dizer do seu lar? Como ser amável em casa? Tenho visto tantos casamentos em perigo que poderiam ser salvos se as pessoas fossem tão somente amáveis umas com as outras e se tratassem com um pouco de respeito. Uma esposa disse: "Meu marido só fala comigo quando quer fazer sexo ou quer o controle remoto da TV". Como ser bondoso em casa? Você pode começar com uma simples gentileza. Às vezes, somos mais rudes com os que estão mais perto. E seus filhos? Você é amável com eles? Você lhes dá atenção ou simplesmente os leva de um lado para o outro como se fossem gado?

E seu chefe ranzinza? Talvez você não goste dele, mas pode ser amável com ele. E o que dizer daquele novo colega que não sabe nada e está atrapalhando o andamento do serviço porque ninguém lhe deu qualquer orientação? E aquela pessoa que foi indelicada com você? Pessoas indelicadas são as que mais precisam de amabilidade, e em altas doses.

Como você pode ser amável na igreja? Ao olhar para um visitante, você pode sorrir, pode sentar-se ao seu lado, dar-lhe as boas-vindas, apertar sua mão, oferecer-se para levá-lo a uma aula da escola dominical. Quando os membros da igreja são amáveis uns com os outros, dizem palavras encorajadoras, sorriem para quem não conhecem. Apenas uma porta trancada poderia manter as pessoas fora de uma igreja amável.

A questão é a seguinte: há tantas maneiras de demonstrar amabilidade quanto há pessoas carentes dela. Permita-me sugerir-lhe um projeto esta semana. Faça uma lista de sete pessoas a quem você pode demonstrar amabilidade. Anote também *como* você poderia ser amável com elas esta semana. Depois, peça a Deus que lhe dê uma oportunidade de ser amável com pelo menos uma delas por dia nesta semana. Talvez se surpreenda com a sensação de bem-estar que terá e provavelmente descobrirá que está ultrapassando sua cota.

É um fato interessante da história que os romanos confundiram a palavra grega *christos* (Cristo) com a palavra *chrestos*, que significa "amabilidade". Veja quantas pessoas você consegue *confundir* esta semana.

{8}
Tendo uma vida boa

Como você definiria a palavra *bom*? É uma palavra que usamos muito. Falamos de boa comida, bom tempo e boa reputação. Dizemos: "Tenha um bom dia", "Ele fez um bom trabalho", "É uma boa caminhada daqui até lá". A palavra é utilizada de várias maneiras diferentes.

Quando era adolescente, meus pais costumavam dizer: "Agora, divirta-se e seja um bom menino (leia-se: 'comporte-se bem')". Talvez seus pais também dissessem o mesmo. Sempre achava que a declaração era uma contradição. Como poderia me divertir e me comportar bem ao mesmo tempo?

Procurei a palavra *bom* no dicionário e descobri diferentes categorias com diferentes empregos ou exemplos em cada uma. Da mesma forma, as palavras grega e hebraica traduzidas por "bom" e "bondade" utilizadas na Bíblia são variadas e cheias de significados. A Bíblia tem muito a dizer sobre bondade. Na realidade, as palavras *bom* e *bondade* são usadas centenas de vezes na Bíblia.

Uma das frases que ouvimos muito é "vida boa". Na região em que moro ouço: "Tenha uma vida boa no sul da Califórnia!". Mas o que é uma vida boa?

O que significa ter uma vida boa?

Para algumas pessoas, ter uma vida boa significa *ter boa aparência*. Nos Estados Unidos, ter boa aparência é assunto sério.

Bronzeamento artificial, roupas combinando cores, cortes de cabelo, lipoaspiração, vale tudo para ter uma boa aparência. Damos imenso valor à beleza e à boa aparência. Você sabe qual é o problema disso? Não existe um padrão universal. O que parece bonito a você não parece bonito para mim e vice-versa. Você já brigou com seus filhos por causa das roupas que eles usam? Ter boa aparência significa coisas diferentes para cada pessoa.

Há os que acham que ter uma vida boa significa *sentir-se bem*. Eles precisam se sentir bem de qualquer maneira. Isso pode significar sentar-se em uma banheira de água quente na Disneylândia ou usar drogas. Eles buscam o prazer a todo custo. Seu estilo de vida se resume no pensamento: "se você se sente bem, faça".

Algumas pessoas pensam que ter uma vida boa significa *possuir bens*. Elas ficam comprando coisas e, quando conseguem tudo, acham que têm uma vida boa. É como dizia a frase de um para-choque que vi recentemente: "Aquele que tiver mais brinquedos no fim da vida ganha". Para essas pessoas, o grande objetivo da vida é ganhar dinheiro e gastá-lo em bens.

A Bíblia apresenta um quadro radicalmente diferente de uma vida boa. Em sua Palavra, Deus diz que ter uma vida boa não significa ter boa aparência, sentir-se bem nem ter bens. Ele diz que a boa vida é uma vida cheia de bondade.

Agora, o que é bondade? Bondade é ser bom e fazer o bem. E, quando você *for* bom e *fizer* o bem, se sentirá bem e começará até mesmo a ter uma boa aparência ou, pelo menos, parecer bem. Entretanto, o que *exatamente* é a bondade?

Gênesis 1 registra a criação do Universo e nos lembra de que, quando Deus viu a criação, disse que era boa. Por quê? Porque ela cumpriu o propósito para o qual foi criada. "Bondade" significa cumprir um propósito. Significa ser o que Deus queria que fosse.

Deus o criou com um propósito. Quando você vive da maneira que Deus pretendia que vivesse, sente-se bem. Sua vida se torna significativa. Você se sente bem porque está fazendo o que Deus pretendia que fizesse, mas para qual bem Deus o criou?

Efésios 2.10 diz: "Pois somos feitura sua, *criados* em Cristo Jesus *para as boas obras,* as quais Deus preparou para que andássemos nelas" (*AEC*; grifo do autor). Não somos salvos *por meio* de boas obras; somos salvos *para* as boas obras. O estilo de vida do cristão deve ser um estilo de vida de bondade. Essa é a verdade principal que quero que você guarde neste capítulo.

Por que devemos ser bons? O que você ganha com um estilo de vida cheio de bondade? A recompensa é uma autoestima saudável. Quando você pratica o que é bom e desfruta dessas qualidades, sente-se bem consigo mesmo porque está fazendo o que Deus o preparou para fazer. Essa é uma satisfação mais profunda do que a dos egoístas que buscam o próprio prazer. Uma autoestima permanente e saudável não se consegue com boa aparência porque esta desaparece. Não vem de se sentir bem porque você não se sentirá bem o tempo todo, não importa o que faça. E não alcança com as posses, porque os bens materiais geralmente estão presentes hoje, mas se perdem amanhã. A autoestima permanente se alcança fazendo o bem e sendo bom. Esse é o propósito para o qual Deus o criou.

Não somos naturalmente bons

Contudo, há um problema: não somos bons por natureza. Todos nascem com uma inclinação natural para o egoísmo. Recentemente, passando de um canal para outro na tv, vi um homem dizendo: "Minha religião é a crença na bondade completa, inerente ao homem". Quando ouvi aquilo, simplesmente comecei a rir. Onde esse homem vive? No século passado ou no Polo Norte? Não aceito a ideia da bondade inata de forma alguma. Ela não faz sentido por quatro motivos.

Primeiro, a Bíblia diz que a bondade inata é uma falácia. Isaías 53.6 diz que cada um quer fazer a própria vontade, seguir seu próprio caminho e ser seu próprio deus. No entanto, ninguém é perfeito. Apenas Deus é bom por natureza (Marcos 10.18). O resto de nós pecou e carece da glória de Deus (Romanos 3.23). Então, a Bíblia diz que o homem não é naturalmente bom em tudo o que faz.

Em segundo lugar, sabemos que o homem não pode ser naturalmente bom por causa dos fatos históricos. A história é, sobretudo, um registro da desumanidade do homem para com seu semelhante. Apesar de sermos a geração mais civilizada e mais sofisticada que já existiu, continuamos a ter guerras, crimes, violência e preconceito, porque a raiz dos problemas continua presente em nós. Continuamos, de maneira egoísta, a fazer a nossa própria vontade. A história simplesmente reflete os resultados de nossas ações.

O terceiro motivo por que não creio que o homem seja naturalmente bom é que sou pai. Se você é pai, sabe que essa ideia é tola. Não preciso ensinar meus filhos a mentirem. Você precisa? Claro que não. Acontece naturalmente. Não preciso ensinar meus filhos a serem egoístas. Você precisa? Não. O homem tem uma tendência inata de fazer o mal. A Bíblia diz isso, a história comprova e os pais o sabem muito bem.

O quarto motivo para refutar a bondade do homem é o conhecimento do meu próprio coração. Talvez você se sinta chocado, mas a verdade é que muitas vezes não quero ser bom. Na realidade, muitas vezes gosto de pecar! Às vezes, prefiro ser indelicado a ser gentil, prefiro dar uma resposta inteligente a ser paciente. E, outras vezes, sou simplesmente egoísta. Não quero fazer o que é bom, mesmo sabendo que é a coisa certa. Prefiro ser preguiçoso. E, mesmo quando meu desejo é bom, mesmo quando quero fazer o bem, ainda assim preciso realmente me esforçar para fazê-lo.

Você se esforça para fazer o bem, mesmo quando *deseja* fazer o que é certo? Deus diz que esta luta é normal. "Será que o etíope pode mudar a sua pele? Ou o leopardo as suas pintas? Assim também vocês são incapazes de fazer o bem, vocês, que estão acostumados a praticar o mal" (Jeremias 13.23). Ele está dizendo que é preciso mais do que força de vontade para mudar sua natureza. Você simplesmente não estala os dedos para se transformar em uma pessoa boa.

O apóstolo Paulo descobriu isso em sua própria vida. Talvez você se identifique com ele. Eu me identifico. Em Romanos 7, ele diz que, não importa o caminho que tome, não consegue fazer o que é certo. Ele quer, mas não consegue. Quando ele quer fazer o bem, não o faz, e, quando tenta não fazer o mal, o faz de qualquer maneira. Você se identifica com isso? Quando aceitamos que não somos perfeitos, inclinamo-nos a nos consolar com as comparações: "Bem, talvez eu não seja como deveria ser, mas sou melhor do que fulano". Provavelmente, você já ouviu alguém dizer isso. Talvez você mesmo já tenha dito. O único problema com esse raciocínio é que Deus não pensa assim. Ele não nos julga de acordo com a bondade dos outros. Jesus Cristo é o seu padrão de medida, e é perfeito. Isso significa que, quando nós mesmos nos comparamos com Cristo, não chegamos nem perto, mas ficamos muito aquém.

É como o garotinho que chegou à sua mãe e disse:

— Mamãe, tenho dois metros e meio de altura.

Ela disse:

— Você tem?

— Sim — ele insistiu. — Tenho dois metros e meio de altura.

A mãe perguntou com o que ele havia se medido, e ele mostrou uma régua de doze centímetros.

Temos de nos avaliar pelo padrão divino perfeito da bondade: Jesus Cristo. Quando o fazemos, percebemos a verdade de que ninguém é perfeitamente bom.

Nossa bondade é um dom de Deus

Deus não nos salvou por causa de nossa bondade, mas por causa de sua própria bondade e misericórdia. Graças à obra salvadora de Jesus Cristo, nosso Salvador, Deus pode nos declarar bons. Nossa bondade é um dom de Deus. Não podemos nos esforçar para ganhá-la, não podemos conquistá-la por nossos méritos, nem merecê-la.

A Bíblia chama isso de *justificação*. É uma palavra complexa com um simples significado: Deus diz que você está salvo por causa do que Jesus fez por você. Quando você crê em Cristo, Deus lhe dá uma nova natureza. É um novo começo e, por isso, o chamamos de "renascer". Deus, além de lhe dar o desejo de fazer o bem, também lhe dá o poder para fazê-lo. Em Filipenses 2.13, temos a seguinte declaração: "Pois Deus é o que opera em vós tanto *o querer* como *o efetuar*, segundo a sua boa vontade" (*AEC*; grifo do autor). Ele lhe dá o *desejo* e o *poder* de fazer o que é certo. Essa é uma das maneiras de você saber que é cristão.

Pela graça e pelo poder de Deus, primeiro, somos recriados como pessoas boas e depois ganhamos a capacidade de fazer boas obras. Deus opera de dentro para fora, e não de fora para dentro. Ele diz: "Deixe-me transformar você por dentro, e o lado de fora se adaptará". Entretanto, o que significa isso? Significa que o cristão nunca peca? Claro que não. Todos nós cometemos erros. Todos nós pecamos. O que significa é que quando nos tornamos cristãos ganhamos um novo poder e um novo desejo de fazer o que é certo. Deus resolveu o problema da nossa antiga natureza egoísta dando-nos uma nova natureza, semelhante a Cristo.

Deus realizou a obra de transformar nossa natureza. Agora precisamos cooperar com seus esforços e nos esforçar para deixar a sua bondade nos completar. Tito 3.4 diz que precisamos *aprender* a fazer o bem. Aqui estão cinco simples sugestões para isso.

Domine a Bíblia

Primeiro, torne-se um estudante da Palavra de Deus. Leia a Bíblia, estude-a e memorize-a. Preencha sua mente e sua vida com ela. Você tem apenas duas fontes pelas quais pode desenvolver seus valores: o mundo ou a Palavra. A escolha é sua.

Uma vez, recebi uma Bíblia nova e a pessoa que a deu escreveu a seguinte dedicatória: *Este livro vai mantê-lo afastado do pecado, ou o pecado vai mantê-lo afastado deste livro.* Isso é verdade. Em 2Timóteo 3.16 Paulo diz: "A Bíblia inteira nos foi dada por inspiração de Deus, e é útil para nos ensinar o que é verdadeiro, e para nos fazer compreender o que está errado em nossas vidas; ela nos endireita e nos ajuda a fazer o que é correto" (*BV*). Portanto, domine a Bíblia se quiser fazer o bem. Preencha sua vida com ela.

Não basta ter uma Bíblia; é preciso usá-la. Uma Bíblia na mão vale mais que duas na prateleira. Se eu lhe perguntasse se você crê na Bíblia de capa a capa, provavelmente diria "sim". Você crê na Bíblia do começo ao fim, mas já a leu inteira? Como você crê nela se nem mesmo conhece seu conteúdo?

Alguns cristãos são mais fiéis a Ann Landers[1] do que à Palavra de Deus. São mais fiéis à página de esportes. Não pensariam em ir dormir sem ler a seção da bolsa de valores. Devoram o jornal todos os dias, mas passam dias sem nem mesmo abrir a Bíblia. E a Bíblia é que nos ensina a discernir o certo do errado.

Talvez você esteja dizendo: "Bem, Rick, não compreendo a Bíblia". A solução é simples. Compre uma versão moderna. Existem várias. Compre a *Nova Versão Internacional* ou mesmo a *Bíblia na Linguagem de Hoje*, ou ainda a *Bíblia Viva*, que é uma paráfrase. Arranje uma boa Bíblia de estudo como a *Bíblia Vida Nova*, a *Bíblia de estudo Vida*, a *Bíblia de estudo esperança*, a *Bíblia de estudo indutivo* ou outra. Quando alguém diz: "Não compreendo a Bíblia", lembro-me de Mark Twain, que disse: "Não é o que não compreendo na Bíblia que me preocupa, mas o que compreendo". Você também não acha essa uma grande verdade?

Quando encontro alguém cuja Bíblia está se desmanchando, descubro que a própria pessoa não está se desmanchando. Domine a Bíblia.

---

[1] Pseudônimo de Esther Pauline Friedman Lederer (1918-2002), escritora e jornalista americana que possuía uma coluna de aconselhamento em vários jornais [N. do E.].

Proteja sua mente

A segunda sugestão para fazer o bem é aprender a controlar seus pensamentos. Sei que disse isso várias vezes neste livro, mas é essencial porque o homem é aquilo que pensa em seu coração. O pecado sempre começa na mente. Satanás planta ideias, chamadas tentações, na sua cabeça. Se você alimentar essas tentações mentalmente, elas se tornarão concretas em sua vida. O pecado sempre começa em pensamento; por isso, proteja sua mente.

Muitas pessoas são bastante descuidadas com o que permitem entrar em sua mente. Fico admirado com aquilo a que alguns cristãos assistem na TV. Eles dizem: "Ah! Não me influencia nada assistir a esse tipo de coisa". Balela! Veja o que Jesus diz em Mateus 6.22: "Os olhos são a candeia do corpo. Se os seus olhos forem bons, todo o seu corpo será cheio de luz". O versículo seguinte, na *Bíblia Viva* diz: "Mas se o seu olho estiver coberto de maus pensamentos e maus desejos, você está em profunda escuridão espiritual". Os psiquiatras, psicólogos e outros peritos dizem que nós, na realidade, nunca nos esquecemos de nada. Talvez não nos lembremos de tudo conscientemente, mas tudo o que vimos ou ouvimos fica registrado no subconsciente. Tudo se mistura em nossa mente e, por isso, temos aqueles sonhos malucos. Portanto, proteja sua mente. Seja criterioso. Não permita que tudo entre nela facilmente.

Ao ser bombardeado pelo lixo da televisão, você tem uma escolha: pode mudar de canal ou, melhor ainda, pode desligá-la e gastar algum tempo com a Palavra de Deus. Se você quiser fazer o bem, pense nas coisas boas, positivas e edificantes, em tudo o que for verdadeiro, nobre, correto, puro e de boa fama (Filipenses 4.8). Pare de permitir que esse material venenoso penetre em sua mente. Se você quiser fazer o bem, tem de ser mais cuidadoso com as coisas às quais dedica sua atenção. Proteja sua mente.

Tenha convicções

A terceira sugestão para aprender a fazer o bem é desenvolver convicções. No que você acredita? Dizem que, se você não acredita em nada, acaba aceitando tudo. Isso ocorre sobretudo na sociedade pluralista ocidental, em que a tolerância diante de pontos de vista diferentes é uma virtude valorizada. Gostamos de parecer liberais. O problema é que algumas pessoas têm a mente tão aberta, que o seu cérebro está caindo para fora! Elas não acreditam em nada.

Você sabe qual é a diferença entre uma opinião e uma convicção? Opinião é algo que você sustenta e convicção é o que sustenta você. Opinião é algo pelo qual você é capaz de sofrer e convicção é algo pelo qual é capaz de morrer.

Você reparou que os cristãos são exortados a odiar determinadas coisas? Paulo diz em Romanos 12.9: "Odeiem o que é mau; apeguem-se ao que é bom". Isso está muito claro. Devemos odiar o que é mau. Por quê? Um dos motivos é o efeito que o mal faz às pessoas. O mal machuca, destrói. Quando você examina de perto Jesus, percebe que bondade significa defender o que é certo e opor-se ao que é errado. Ele odiava o pecado, mas amava os pecadores. Temos a tendência de fazer exatamente o oposto. Odiamos os pecadores e amamos o pecado. Contudo, Deus quer que tenhamos compaixão pelas pessoas e convicção contra o pecado.

A bondade exige uma convicção profunda, assumir uma posição contra coisas como maus-tratos de crianças, aborto, pornografia e corrupção. Ouvi, recentemente, no rádio que uma em cada quatro meninas americanas é violentada antes dos 18 anos de idade. Temos de assumir uma posição contra males como esse! Os cristãos também precisam falar quando alguém usa o nome do Senhor em vão. Tenha convicções. Quando souber de atividades criminosas, denuncie. Edmund Burke disse uma vez: "Basta que os homens bons não façam nada para que o mal triunfe". Tenha convicções.

Naturalmente, você precisa entender que, se tiver convicções, não será benquisto por todos. Algumas pessoas vão chamá-lo de fanático ou de beato. Quando isso acontecer, lembre-se do que Pedro disse: é melhor sofrer por fazer o bem do que por fazer o mal (1Pedro 2.19,20). Jesus nos advertiu de que, quanto mais nos identificamos com ele, mais o mundo à nossa volta reagirá com hostilidade.

Se você defender suas convicções, pode ter certeza de que encontrará oposição. Algumas pessoas vão discordar de você. A Bíblia diz que, nos últimos dias, haverá pessoas que vão odiar o bem (2Timóteo 3.3). Lembre-se de que Jesus Cristo levou uma vida perfeita, mas foi criticado, zombado, mal-entendido e finalmente morto em uma cruz. Então, o que o faz pensar que a vida será mais fácil para você ou para mim? Isso nos leva à quarta etapa.

Tenha a coragem de ser diferente

Se você quer aprender a fazer o bem, precisa ter coragem para ser diferente da sua cultura. Isso é assustador, porque nossa sociedade coloca todas essas pressões sobre nós para que nos conformemos e sigamos com a correnteza. Você tem de "concordar para ter sucesso". Quando você vai a uma festa do escritório, todos esperam que aja como eles. Somos encorajados a agir, a falar, a nos vestir e até mesmo a cheirar como os outros, apenas para fazermos parte do grupo. Todavia, às vezes, bondade significa estar disposto a ser o único. Ouse ser diferente. Como 3João 11 diz: "não imite o que é mau, mas sim o que é bom".

Você se lembra da história dos três jovens israelitas que não se inclinaram diante da estátua do rei Nabucodonosor e foram jogados na fornalha ardente? Se você é íntegro, terá de passar pelo fogo. Pode contar com isso.

Falando de calor, responda: você é um termostato ou um termômetro? Escolha um. O que faz um termômetro? Registra a temperatura. Simplesmente reflete o ambiente, seja quente ou frio. O termostato, por sua vez, *controla* a temperatura. Ele influencia o ambiente, estabelece o padrão. O que você é: um termômetro ou um termostato?

Um de meus versículos prediletos na Bíblia é 1Pedro 3.1. O autor escreve sobre ter uma "paixão pelo bem" (tradução inglesa de *Moffatt*). Bondade significa mais do que apenas fugir do mal. Também significa entusiasmar-se com o que é bom. Devemos promover o que é positivo e bom.

Em Romanos 15, Paulo elogia os cristãos de Roma e diz: "vocês estão cheios de bondade" (v. 14). Naquele tempo, Roma era a capital do pecado do mundo antigo. Faria Las Vegas parecer um piquenique da escola dominical. Todo tipo de libertinagem e imoralidade que você possa imaginar acontecia em Roma. E se você estivesse em Roma, o que esperariam de você? Que agisse como os romanos! Contudo, um grupo de pessoas se recusou a aceitar esse comportamento pecador. Elas tinham integridade e Paulo lhes escreveu dizendo: "No meio dessa pocilga, vocês estão cheios de bondade". Que testemunho! Que reputação! Você não gostaria de ter uma reputação como essa?

Reúna-se com outros cristãos

Por último, se você quiser fazer o bem, deve desenvolver o hábito de se reunir com outros cristãos. Um segredo da bondade dos cristãos romanos era que eles se reuniam para fazer o bem. Reuniam-se regularmente para desafiar, encorajar e apoiar uns aos outros em seu estilo de vida cristão. O autor de Hebreus nos exorta: "consideremos uns aos outros para nos incentivarmos ao amor e às boas obras". Depois acrescenta um importante ingrediente: "Não deixemos de reunir-nos [...], mas procuremos encorajar-nos uns aos outros" (Hebreus 10.24,25).

Nossa comunhão com outros cristãos destina-se ao encorajamento, a ter uma vida boa em um mundo mau. Como cristãos, não devemos imitar o mundo, mas também não devemos viver isolados dele. Os dois extremos estão errados. Antes, temos de aprender a viver *no* mundo sem sermos *do* mundo. Essa foi a oração de Jesus pelos discípulos em João 17. Ele também orou: "Não peço que os tires do mundo, mas que os guardes do mal" (v. 15; *AEC*). A resposta não é imitar nem isolar-se, mas *insular-se*. Deus *realmente* nos protege do mal, e um dos meios mais poderosos que utiliza é a igreja.

Os soldados não vão à guerra sozinhos para lutar contra as tropas inimigas. Vão em grupos chamados guarnições, pelotões ou batalhões. Eles sabem que precisam uns dos outros. Por que então tantos cristãos pensam que podem viver sozinhos? Será que não percebem que estão em uma batalha contra as forças espirituais do mal (Efésios 6)? Será que não reconhecem os perigos? Para ser franco, penso que muitos cristãos nem mesmo sabem que há uma guerra. Estão tão alheios às realidades espirituais, que realmente não percebem que estão no meio de uma batalha.

Contudo, os cristãos que conhecem a realidade sabem que precisam uns dos outros, gostam das reuniões da igreja como reagrupamentos das linhas de frente da batalha, consideram os cultos um posto de abastecimento, em que podem se guarnecer, ajustar e preparar para voltar à batalha.

A vida cristã não é fácil, mas é eternamente valiosa. E fazer o bem nem sempre é fácil, mas há uma recompensa. Gálatas 6.9 diz: "E não nos cansemos de fazer o bem, pois no tempo próprio colheremos, se não desanimarmos". Como você espanta o cansaço, como continua avançando? Dominando a Bíblia, protegendo sua mente, tendo convicções, tendo coragem de ser diferente e reunindo-se regularmente com outros cristãos para encontrar apoio e encorajamento.

E você? Está satisfeito em ser um termômetro, simplesmente registrando a frieza espiritual do mundo que o cerca ou está pronto para ser o termostato de Deus em seu espaço no mundo? Esta semana, use sua influência por Deus e para o bem no seu mundo!

{9}
Aquele com quem se pode contar

Até agora, em nosso estudo sobre o fruto do Espírito, examinamos o amor, a alegria, a paz, a paciência, a amabilidade e a bondade. Neste capítulo, analisaremos a fidelidade. Talvez você esteja pensando: "Não tenho certeza se vou conseguir assimilar mais coisas. Ainda nem assimilei a paciência". Não se desespere. Lembre-se: é o *fruto* do Espírito, no singular. Todas as nove qualidades estão interligadas e se desenvolvem juntas.

Fidelidade. Você é fiel? Fidelidade não é uma palavra que ouvimos com muita frequência nos dias de hoje. Geralmente, é reservada a homenagens a aposentados. Depois de 25 anos de serviço fiel, você recebe um relógio de ouro. Quando ouvimos a palavra *fiel*, pensamos em coisas velhas. Meu cachorro pode ser velho e feio, mas é fiel. Meu carro pode ser velho e feio, mas é fiel.

Entretanto, o que significa ser fiel? Significa ser digno de confiança. Significa ser leal, digno de confiança, constante. A fidelidade é uma qualidade rara. A Bíblia diz: "um homem fiel, quem poderá achar?" (Provérbios 20.6). Não é fácil encontrar alguém com quem se possa realmente contar. A *Nova Tradução na Linguagem de Hoje* traduz Provérbios 20.6 da seguinte forma: "Todos dizem que são bons e fiéis, mas tente achar alguém que realmente seja!". Como pastor, aprendi que nem todos os que se apresentam como voluntários permanecem de fato para servir.

Por que a fidelidade é tão importante na vida cristã? Em primeiro lugar, devemos ser fiéis porque Deus é fiel. Em Salmos 33.4 lemos: "ele é fiel em tudo o que faz". Considerando que Deus deseja que sejamos iguais a ele, o desejo dele é que aprendamos a ser fiéis.

Além disso, a fidelidade torna a vida muito mais fácil. A infidelidade é a causa de muitos problemas na vida. Observe o que declara Provérbios 25.19: "Como dente estragado ou pé deslocado é a confiança no hipócrita na hora da dificuldade". Você sabe o escritor está dizendo? Está dizendo que as pessoas infiéis são um sofrimento, como uma dor de dente persistente. É como andar mancando. Sabe o que é ter um joanete ou um calo no pé? Dói. Quando você depende de uma pessoa infiel, nunca pode relaxar. Lá no fundo de sua mente, você sempre está imaginando: "Será que ela não vai me decepcionar de novo?". Ou: "Será que desta vez vai continuar firme?". Trabalhar com pessoas inconstantes é extremamente frustrante.

Todos nós procuramos a fidelidade nos outros quando nos ocupamos de nossas atividades diárias. Queremos que o jornaleiro seja confiável. Queremos que o carteiro seja fiel. Quando coloco uma carta no correio, dependo do serviço do correio para levá-la ao seu destino. Quero que o alimento em meu restaurante preferido tenha a mesma qualidade toda semana.

O mais famoso gêiser dos Estados Unidos é o Old Faithful [Velho fiel] no Parque Nacional de Yellowstone. O Old Faithful não é o maior nem o mais forte gêiser da América. O que o torna famoso é a sua fidelidade! É como um relógio. Confiável. As pessoas apreciam a confiabilidade, mesmo em um gêiser.

Vou fazer uma pergunta: quem pode contar com você? Você tem a reputação de ser confiável? Alguém que o conhece bem apostaria a vida na sua fidelidade? Poucas coisas são mais importantes do que a fidelidade. Você pode ser talentoso, educado e criativo, mas, se não for confiável, seus talentos não valem grande coisa. Alguém já disse: "A confiabilidade é uma grande habilidade".

Outro motivo por que devemos ser fiéis é que Deus recompensa a fidelidade. Na parábola dos talentos registrada em Mateus 25, Jesus diz que um dia Deus nos julgará, mas esse julgamento não avaliará nossa capacidade nem nossas boas intenções. Deus nos julgará e nos recompensará de acordo com nossa fidelidade. A Bíblia diz que o homem fiel será ricamente abençoado. Portanto, se você quiser ser recompensado no céu, deverá aprender a ser uma pessoa fiel, confiável.

Deus quer que sejamos fiéis *em* nossos relacionamentos e *com* os nossos recursos. Vou sugerir oito características da fidelidade. Eu as expressarei como imperativos, coisas que você deve fazer para desenvolver a fidelidade em sua vida.

Cumpra suas promessas

Encontramos a seguinte declaração em Provérbios 25.14: "Como nuvens e ventos que não trazem chuva, assim é o homem que se gaba de dádivas que não dá" (*AEC*). Você conhece pessoas assim? Elas fazem promessas, mas nunca cumprem. São capazes de dizer: "Eu pretendo fazer", mas nunca fazem de fato.

Tenha cuidado com as promessas que você faz. Você já disse a alguém que lhe telefonará depois e depois não telefona? Você já disse: "O cheque já está no correio", antes mesmo de enviá-lo? Você já prometeu que vai pagar a alguém e depois esquece de cumprir? Você precisa ser confiável quando diz: "Devolvo logo", ou: "Depois eu faço". Cumpra sua palavra!

Às vezes, como pai, em um momento de fraqueza, faço promessas a meus filhos apenas para que deixem de me amolar. Você já fez isso? Prometo alguma coisa que nem mesmo registro em minha mente. Semanas depois, talvez eu não me lembre do que disse, mas descobri que meus filhos não esquecem nada. Nunca. Quando digo: "Bem, *talvez*, possamos fazer determinada coisa", interpretam minhas palavras com o significado de que, *sem sombra de dúvida*, faremos alguma coisa. Comece a prestar atenção. Você tem de cumprir suas promessas.

Lemos em Provérbios 20.25: "É uma armadilha consagrar algo precipitadamente, e só pensar nas consequências depois que se fez o voto". Em outras palavras, é sempre mais fácil concordar do que negar. Você sabe qual é o maior problema do relacionamento entre pais e filhos? Ressentimento. E a maior causa do ressentimento são as promessas quebradas.

Eclesiastes 5.5 declara: "É melhor não fazer voto do que fazer e não cumprir". Maridos, que promessas vocês precisam cumprir? Você prometeu levar sua esposa em uma viagem de férias, consertar uma torneira que está pingando ou ajudá-la com um projeto especial? E para os filhos? Prometeu passar mais tempo com eles ou jogar futebol?

Quando for confiável, não precisará convencer as pessoas disso, não precisará fazer propaganda. Não terá de dizer: "eu juro", fazer "o sinal da cruz" nem "cruzar os dedos". Não, você simplesmente dará sua palavra e depois a cumprirá! Jesus disse que o nosso sim deve ser sim e o nosso não deve ser não (Mateus 5.37). Com o tempo, sua história falará por si mesma. As pessoas terão confiança porque podem contar com você. E Deus fará cuidadosas anotações no céu.

Respeite seu casamento

Em uma cerimônia de casamento, os noivos trocam alianças como símbolo dos votos que estão fazendo. Eles prometem ser fiéis um ao outro pelo resto da vida. Fidelidade. Não é preciso cometer adultério para ser infiel. Tudo que você tem a fazer é dar prioridade a outra coisa em vez de seu casamento. Pode ser qualquer coisa: um esporte, as atividades da comunidade, a televisão ou o trabalho. Algumas pessoas têm um caso de amor com o trabalho, mas a Bíblia diz que, se você é casado, seu relacionamento com seu cônjuge só deve ser precedido pelo relacionamento com Deus. O autor de Hebreus 13.4 diz: "O casamento deve ser honrado por todos". Faça um círculo ao redor da palavra *honrado*. A palavra honrar significa "respeitar", "ter em alta estima" e "encarar com seriedade".

Se você quer desenvolver a fidelidade, respeite seu casamento. Dedique-se. O capítulo do amor, 1Coríntios 13, diz que, quando você ama alguém, a pessoa amada pode contar com você. O que significa isso? Significa que ser amoroso é ser confiável. O inverso disso significa que não ser confiável é o mesmo que não ser amoroso. A fidelidade é uma opção. Não depende do que os outros fazem. Você assume um compromisso e, independentemente do que seu cônjuge faz, decide ser fiel aos votos que fez perante Deus. Mantenha suas promessas e honre seu casamento.

Use seus talentos

Em 1Pedro 4.10, lemos: "Cada um exerça o dom que recebeu para servir os outros, administrando fielmente a graça de Deus em suas múltiplas formas". O fato é que Deus lhe deu algumas qualificações espirituais, alguns talentos, alguns dons. Ele investiu em você e agora quer e espera um retorno desse investimento. Se você não usar os talentos que recebeu, outras pessoas serão prejudicadas porque você não está contribuindo com o instrumento que Deus confiou especialmente a você.

Se você quiser ser mais fiel, use seus talentos. Talvez você argumente: "Bem, não tenho tais e tais talentos. Não sei cantar como ela". Não poder fazer algo espetacular não é desculpa para não fazer o que você sabe. A fidelidade não depende do que você *não pode* ou *não tem*, mas daquilo que faz com o que tem. Não tenho a responsabilidade de cantar louvores a Deus se ele não me deu esse dom, mas sou responsável por usar os dons e os talentos que ele me deu.

Nem todos podem ser brilhantes, mas todos podem ser fiéis. E a fidelidade é o que conta para Deus! Por isso, cumpra suas promessas, respeite seu casamento e use seus talentos.

Aproveite bem o tempo

Tempo é coisa que todos têm em comum. Todos têm a mesma quantidade de tempo: 168 horas por semana. Efésios 5.15,16 diz: "Portanto, vivam bem como vivem. Não vivam como ignorantes, mas como sábios. Aproveitem bem o tempo" (*BV*).

Há três coisas que você pode fazer com seu tempo: gastá-lo, desperdiçá-lo ou investi-lo. O melhor que você tem a fazer com seu tempo é investi-lo em algo que dure mais que você. Fidelidade implica gerenciamento do tempo.

Há dois tipos principais de desperdiçadores de tempo: arrependimento e preocupação. Quando nos arrependemos do passado, desperdiçamos quantidades imensas de tempo olhando para trás, tentando mudar algo que não pode ser mudado. Quando nos preocupamos com o futuro, desperdiçamos tempo ficando nervosos com acontecimentos que talvez nunca venham a acontecer. Em consequência, desperdiçamos o tempo e a energia destinados ao dia de hoje. Para se tornar uma pessoa mais fiel, você deve abandonar pensamentos do tipo: *quando... então...*,. Por exemplo: *quando* as crianças começarem a estudar, *quando* as crianças se formarem, *quando* meus netos começarem a estudar, *quando* eu me aposentar, *quando* pagarmos todas as contas, *então* estarei pronto para servir ao Senhor. Deus está dizendo para você ser fiel agora.

Vou lhe apresentar uma declaração para aliviar sua culpa. Deus compreende sua agenda. É verdade. Ele a compreende melhor do que você. Então, o que você deve fazer? Fale com ele sobre isso. Diga: "Deus, diga-me o que devo excluir. Diga-me o que devo acrescentar". Quando você quer abraçar o mundo inteiro de uma só vez, não é tão inteligente e esperto quanto pensa. É provável que tenha de excluir algumas coisas e acrescentar outras. Deus pode ajudá-lo a fazer essas escolhas.

Por isso valorize o tempo. Faz parte da fidelidade.

Fique ao lado dos seus amigos

Outra maneira de desenvolver sua fidelidade é cultivar a lealdade pessoal. Uma pessoa fiel fica ao lado de seus amigos. Está escrito em Provérbios 17.17: "O verdadeiro amigo é sempre leal, e o irmão existe para ajudar em tempos de necessidade" (*BV*). Os amigos de fato são constantes, confiáveis. Pode-se contar com eles em uma crise. Alguém disse que, quando as coisas ficam difíceis, o verdadeiro amigo não enxerga o outro lado, mas o ajuda a chegar lá. A quem você é leal? Quem pode contar com você? Essas pessoas sabem disso?

Há alguns anos, o pastor auxiliar da igreja em que trabalhava levou-me para almoçar e, quando nos sentamos, disse: "Só quero dizer uma coisa. Não importa o que aconteça, serei sempre seu amigo". Lealdade como essa é um grande tesouro, não tem preço.

Se pedisse a você para escrever uma carta a cinco pessoas com quem pode contar, a quem escreveria? E se fosse o contrário? Quem lhe escreveria, dizendo: "Sei que posso contar com você se as coisas ficarem difíceis"? Fique ao lado de seus amigos.

Administre bem seu dinheiro

Se você quiser desenvolver o fruto da fidelidade, tem de aprender a administrar bem seu dinheiro. Deus deu a você recursos, e a Bíblia diz que lidar com o dinheiro é um teste de sua fidelidade para com ele. Jesus diz: "Se nas riquezas injustas não fostes fiéis, quem vos confiará as verdadeiras?" (Lucas 16.11; *AEC*). Incrível! Deus diz que, se você não for fiel com as posses materiais, não lhe confiará os recursos espirituais! Portanto, você precisa se perguntar coisas como: "Sou fiel com o dízimo ao Senhor? Pago minhas contas dentro do prazo? Comparando minha contribuição com meus gastos e meus gastos com minhas economias, minha vida realmente está equilibrada? Sou um bom administrador do dinheiro que Deus me deu? A verdade é que a maneira de lidar com suas finanças determina grande parte do que Deus pode fazer em sua vida. É o que ele disse! Se Deus não puder lhe confiar as riquezas deste mundo, não lhe confiará as riquezas espirituais.

Bem, o que significa ser fiel em suas finanças? O que significa, especificamente, ser fiel na contribuição? Em 1Coríntios 16.2, está escrito: "Todos os domingos, cada um de vocês deve separar alguma coisa do que ganhou no decurso da semana, e utilizá-la para essa oferta. A quantia depende de quanto o Senhor ajudou vocês a ganhar" (*BV*). Esse versículo explica o que significa ser um contribuinte fiel. Ele diz três coisas.

Primeiro, devemos contribuir *regularmente*. Devemos contribuir toda semana, todo domingo. Uma pessoa fiel dá sistematicamente, e não de vez em quando. Não é dizer: "Ah! Hoje me sinto bem. Vou dar alguma coisa para Deus. Tome, Senhor". Costumava pensar que a contribuição mais espiritual acontecia quando uma pessoa era impulsivamente movida pela emoção de dar. Não é verdade. Deus diz que a contribuição deve ser constante, *todo* domingo, quer sintamos vontade, quer não. Esse princípio relaciona-se com o segundo aspecto da contribuição fiel.

Deus diz que sua contribuição deve ser planejada. Você deve planejar com oração e separar parte do que ganhou. Se for casado, você deve sentar com seu cônjuge e falar sobre a quantia que, a seu ver, Deus deseja que dê semanalmente. Se não planejar, não dará com regularidade. Lembre-se: Deus busca fidelidade.

Eu e minha esposa temos uma conta para o dízimo. Descobrimos que a única maneira de sermos fiéis em nossa contribuição é manter um registro dela. Por isso, realmente temos uma conta para o dízimo em nosso livro-caixa. É a primeira na lista. Antes de pagarmos nossas contas, pagamos nosso dízimo ao Senhor. A conta nos ajuda a ser fiéis.

Por último, a contribuição fiel é proporcional; é uma porcentagem de seus vencimentos. A quantia que você deve dar depende de quanto o Senhor o ajudou a ganhar. Esse é o significado do dízimo. Dízimo significa dez por cento. Dez por cento é o mínimo, o ponto de partida. Se Deus o abençoou ricamente nas finanças, você pode dar muito mais. Devemos retribuir a Deus com uma porcentagem do que ele nos permitiu ganhar.

Portanto, cumpra suas promessas, respeite seu casamento, use seus talentos, aproveite bem o seu tempo, fique ao lado dos amigos e administre bem seu dinheiro. São maneiras práticas de se tornar mais fiel.

Faça o melhor no trabalho

Se o seu trabalho é contratar pessoas, o que você leva em conta? Posso adivinhar que uma das coisas que você procura é a confiabilidade. Desde que me tornei pastor, acho que preencho um formulário por semana dando referências sobre alguém. E nunca vi um formulário de referências que não mencionasse confiabilidade, equilíbrio, responsabilidade, pontualidade ou constância. Os empregadores, as faculdades e as agências missionárias, todos querem saber da fidelidade das pessoas ao trabalho.

Como seu trabalho pode afetar sua fidelidade? Jesus disse: "Quem é fiel no pouco, também é fiel no muito" (Lucas 16.10). Portanto, sua fidelidade é afetada por sua atitude nas pequenas coisas da vida. Veja você, a vida é feita principalmente de pequenos detalhes; portanto, se você não for fiel neles, não será fiel na maior parte da vida. O mesmo acontece com o crescimento espiritual. Pequenas coisas, como ter um momento diário devocional de oração, produzem grandes resultados. O sucesso vem da fidelidade nas pequenas coisas que as outras pessoas desconsideram.

Você tem uma pilha de trabalho que lhe dá sensação de culpa? Muitas pessoas têm. É a pilha das pequenas coisas que não foram resolvidas ainda. A fidelidade inclui o modo de você lidar com sua pilha de culpa. Talvez não signifique muito para você que alguém lhe tenha escrito uma carta, mas a pessoa que a escreveu espera uma resposta. Seu mundo pode depender dela. Como você lida com as pequenas coisas da vida?

A fidelidade também é afetada pela forma como você lida com o que não é seu. Jesus disse: "E se vocês não forem dignos de confiança em relação ao que é dos outros, quem lhes dará o que é de vocês?" (Lucas 16.12). Quando estou no trabalho, uso o material que me dão como se eu mesmo tivesse pagado por ele? Se fosse dono do negócio, tomaria um cafezinho a toda hora? Se alugasse um cortador de grama para o meu jardim, cuidaria dele como se fosse meu? Compraria o carro alugado que acabei de usar por uma semana? Como cuido das coisas que não são minhas? Deus diz que isso é uma prova de fidelidade.

Viu como isso é prático? A fidelidade é importante em várias áreas de nossa vida. Por isso Deus diz que você será recompensado por sua fidelidade. Dedique-se ao seu trabalho. A Bíblia diz: "Tudo o que fizerem, façam de todo o coração, como para o Senhor, e não para os homens" (Colossenses 3.23). A reputação do cristão deve ser a da pessoa mais confiável no trabalho. Ele sempre se lembra de quem é o seu verdadeiro patrão!

Assuma um compromisso em uma igreja

A oitava maneira de desenvolver a fidelidade é assumir um compromisso com um grupo local de cristãos. Romanos 12.5 diz: "assim também em Cristo nós, que somos muitos, formamos um corpo, e cada membro está ligado a todos os outros". Cada crente está ligado a todos os outros no corpo de Cristo. Por isso a igreja local é tão importante.

A Bíblia diz que os cristãos estão ocupados em uma batalha espiritual (Efésios 6.10-18). As palavras utilizadas na Bíblia em referência à vida cristã são termos de guerra: *luta*, *conquista*, *esforço*, *batalha*, *vitória*. E os cristãos são comparados a soldados (2Timóteo 2.3). O apóstolo Paulo diz que devemos nos revestir "de toda a armadura de Deus" (Efésios 6.11). Você está em uma batalha espiritual quer saiba disso, quer não, e precisa de apoio e reforço. Quando você se tornou cristão, alistou-se no exército de Deus.

Agora suponha que eu vá a um posto de recrutamento e diga que quero me alistar no exército. Eles respondem:

— Ótimo, assine aqui, na linha pontilhada.

Então digo:

— Espere um pouco. Quero me alistar no exército, mas tenho uma condição. Quero ficar andando de um batalhão para outro. Vou fazer parte do exército, mas não quero ser designado para um pelotão específico de soldados. Se a batalha ficar um pouco mais acirrada numa região, passarei para outra e me juntarei a outro batalhão. E, se não gostar de determinada liderança do batalhão, me juntarei a outro.

Você gostaria de ter alguém assim, lutando com você em alguma guerra? Claro que não! Mas é assim que, atualmente, muitos cristãos se relacionam com o exército de Deus. Andam por aí, de igreja em igreja, com pouco ou nenhum compromisso com qualquer grupo específico de cristãos, enquanto a batalha é travada, eles saem de licença sem permissão.

Quando você se torna cristão, assume um compromisso com Jesus Cristo. Então, pode se tornar parte de um corpo local de cristãos comprometendo-se com essas pessoas. Isso é "filiação eclesiástica", um compromisso com outros cristãos. É a decisão de ser participante, e não mero espectador. Você deixa de ser consumidor e torna-se colaborador.

Tendo viajado por muitos lugares no exterior, descobri que o cristão "flutuante" é um fenômeno que se encontra apenas nos Estados Unidos. Em nenhum outro lugar do mundo, você encontrará pessoas que se dizem cristãs, mas não estão comprometidas com qualquer comunidade local.

Gostei do que minha esposa disse quando lhe perguntaram qual era a diferença entre simplesmente frequentar uma igreja e tornar-se membro dela. Ela disse: "É a mesma que existe entre casar-se e simplesmente viver junto: o compromisso".

Quem pode contar com você? Alguém pode depender de você? A ideia do "cavaleiro solitário" não existe para o cristão. *Coinonia*, a palavra grega usada na Bíblia para indicar "comunhão", significa estarmos comprometidos uns com os outros como estamos com Jesus Cristo. Jesus disse: "Com isso todos saberão que vocês são meus discípulos, se vocês se amarem uns aos outros" (João 13.35). Uma maneira de expressar amor é pela fidelidade para com os outros.

Se você cumprir suas promessas, honrar seu casamento, assumir um compromisso com sua igreja, dedicar-se ao seu trabalho ou for leal com seus amigos, Deus honrará sua fidelidade. Por quê? Porque ele quer que nos tornemos cada vez mais parecidos com Jesus Cristo, que foi fiel até a morte.

Não se pode subestimar a importância da fidelidade. Jesus contou a parábola do senhor que foi viajar e deixou seus servos como responsáveis. Quando voltou, os servos não foram recompensados por sua capacidade, seu conhecimento ou suas boas intenções, mas por sua fidelidade. Jesus deixou sua obra aqui na terra a nosso cargo e, um dia, ele voltará. Quando retornar, encontrará servos fiéis?

{ 10 }
O método da brandura

Todos querem ter amigos. Todos precisam de amigos. A medicina declara que, para viver mais, é preciso ter amigos. O dr. James Lynch fez vastas pesquisas, comprovando que a solidão realmente enfraquece o sistema imunológico humano.

Anos atrás, Dale Carnegie escreveu o segundo *best-seller* do século XX intitulado *Como fazer amigos e influenciar pessoas*.[1] Por que o livro vendeu tantos exemplares? Porque todos querem ser amados. Todos querem ter amigos. Um versículo de Provérbios declara: "O homem que tem muitos amigos deve congratular-se" (18.24; *ARC*). Em outras palavras, se quiser que os outros gostem de você, terá de ser simpático. E uma das qualidades mais simpáticas é o que a Bíblia chama de "mansidão".

Na década de 1980, muitas pessoas foram ao cinema para apreciar personagens rudes como "Dirty Harry"[2] e Rambo, mas ninguém deseja realmente viver com esse tipo de gente. Queremos à nossa volta pessoas compreensivas, gentis e mansas. O que é mansidão? Com base na palavra original grega utilizada no Novo Testamento, mansidão significa literalmente "força sob controle". Ela era utilizada em referência a um garanhão selvagem que fora domado ou subjugado. O garanhão domado conti-

---
[1] Nacional, 1985.
[2] Policial "durão" interpretado por Clint Eastwood em uma série de filmes [N. do E.].

nua tendo tanta força e energia como quando era selvagem, mas agora pode ser controlado e se tornar útil ao dono. Ser manso não significa ser fraco ou covarde. Interessante que apenas duas pessoas na Bíblia foram chamadas de mansas, Jesus e Moisés, e nenhuma delas era fraca. Eram homens muito fortes e robustos.

Em Gálatas 5.23, lemos que o oitavo fruto do Espírito é a mansidão. E Filipenses 4.5 declara: "A vossa mansidão seja conhecida de todos os homens" (*TB*). Bem, o que significa ser manso? Significa controlar suas reações diante das pessoas. Significa *escolher* a forma de agir, em vez de simplesmente reagir às pessoas.

Neste capítulo, vamos considerar seis tipos de pessoas com as quais você pode praticar a mansidão. São pessoas com as quais você tem contato o tempo todo.

Seja compreensivo, e não exigente

Quando alguém o *serve, seja compreensivo, e não exigente*. Lemos em Filipenses 2.4,5: "Não pensem unicamente em seus próprios interesses, mas preocupem-se também com os outros e com o que eles estão fazendo" (*BV*).

Agora, pergunto: como você trata as pessoas que lhe prestam algum serviço? Como você trata garçons e garçonetes, balconistas, secretárias, caixas de banco e outros que o servem? Você é ríspido e exigente? Ou é indiferente e impessoal, como se elas simplesmente fizessem parte do mobiliário? Você compreende que elas podem ter tido um dia difícil também ou pensa apenas em si mesmo? A primeira maneira de desenvolver a mansidão é procurar compreender as pessoas que o servem.

Aprendi o segredo de ser realmente bem servido no restaurante. É o seguinte: trate quem o serve com respeito. É espantoso como os garçons e garçonetes se tornam mais prestativos quando você considera seus sentimentos e quando procura compreender as pressões que eles sofrem. Olhar além das necessidades deles e de sua agenda exige um pouco de esforço, mas os resultados valem a pena.

Li, certa vez, um famoso livro de autoajuda no qual o autor declarava que, quando você devolve uma mercadoria defeituosa, deve ignorar o balconista e queixar-se diretamente ao gerente. Embora esse método seja eficiente, o autor demonstrava desrespeito pelos balconistas declarando com atrevimento: "Todos os balconistas são burros". Isso é ser exigente, e não compreensivo.

O primeiro lugar onde você deve ser manso é dentro de casa. A Bíblia diz que as esposas devem se adornar com "um espírito manso e tranquilo" (1Pedro 3.4; *AEC*). Isso tem mais valor do que qualquer roupa que você vista ou qualquer perfume que use. A mansidão é um atributo atraente na mulher.

A Bíblia diz aos maridos: "Igualmente, vós, maridos, vivei com elas com entendimento" (1Pedro 3.7; *AEC*). Seja compreensivo, e não exigente, com as pessoas que o servem e com as pessoas que convivem com você.

Seja complacente, e não crítico

Quando alguém o *decepcionar, seja complacente, e não crítico*. Em Gálatas 6.1,2 lemos: "se alguém for surpreendido em algum pecado, vocês, que são espirituais, deverão restaurá-lo com mansidão. Cuide-se, porém, cada um para que também não seja tentado. Levem os fardos pesados uns dos outros e, assim, cumpram a lei de Cristo". A tentação a que Paulo está se referindo nessa passagem pode muito bem ser a de ser crítico, de se achar "mais santo do que o outro". E essa é a reação errada de um cristão em relação a um irmão ou irmã em Cristo que luta contra o pecado. Romanos 14.1 diz: "Aceitem o que é fraco na fé, sem discutir assuntos controvertidos". Sujeitamo-nos ao ataque de Satanás em nossas próprias fraquezas no momento em que começamos a condenar os outros.

Deixe-me fazer uma pergunta: qual é a sua reação diante de pessoas que arruinaram sua própria vida? Você pensa secretamente: "Eu não disse?", "Eu sabia", "Ele merece" ou "Como pode ser tão tolo?". Você tem um sentimento interior de superioridade? A reação de Jesus para com a mulher apanhada em adultério foi cheia de sensibilidade. Ele a defendeu diante de todos e, depois que a multidão partiu, falou-lhe em particular sobre seu pecado. Jesus foi manso, e não crítico.

Por que devemos nos esforçar para não ser críticos? Porque foi assim que Cristo nos tratou. Vejamos o que nos diz Romanos 15.7: "aceitem-se uns aos outros, da mesma forma que Cristo os aceitou". Você sabe, Deus tolera muitas coisas que fazemos. E, se Deus tolera as nossas inconstâncias e fraquezas, podemos aprender a tolerar as falhas dos outros. Sempre que você se sentir tentado a julgar outra pessoa, faça uma pausa para lembrar o quanto Deus lhe perdoou. Quanto mais reconhecer a graça de Deus para com você, mais tolerante será com os outros.

Você se tornará mais manso quando for compreensivo, e não exigente, com as pessoas que o servem. E, quando as pessoas o decepcionarem, você se tornará mais manso se agir com compreensão, em vez de julgá-las. Não implique, simplifique! Deus é invariavelmente manso com você e quer que você seja manso com os outros.

Seja delicado sem ser derrotado

Quando alguém *discordar* de você, *seja delicado sem ser derrotado*. É um fato da vida que você nunca poderá agradar a todos. Você sempre conhecerá pessoas que gostam de discutir e brigar com você. Algumas vão contradizê-lo em tudo que disser. Como reagir diante dessas pessoas?

Uma das provas da maturidade espiritual é a forma de lidar com as pessoas que discordam de você. Algumas sentem necessidade de arrasar todos que discordam delas. Se as desafia ou lhes oferece uma comparação, queixa ou crítica, respondem com um ataque pessoal ofensivo. Então o que fazer? Você tem três alternativas: pode recuar de medo, reagir com ira ou agir com mansidão. Muitas pessoas preferem recuar ou reagir. Poucas sabem agir com mansidão.

Desistir e recuar de medo diante de pessoas irascíveis é o mesmo que dizer: "Está bem, seja como quiser". A "paz a qualquer preço" custa caro a qualquer relacionamento.

Já, se você reagir com ira, tomará a ofensiva e atacará sempre que alguém se opuser a você. A ira é geralmente um sinal de que você se sente inseguro e está ameaçado pela desaprovação de alguém, uma luz vermelha que diz que você perderá alguma coisa, quase sempre, a autoestima. Quando as pessoas ficam iradas, a reação mais comum é serem sarcásticas e atacarem a dignidade dos outros.

A terceira alternativa, agir com mansidão, é o método que Deus quer que você escolha na hora da oposição. Esse tipo de reação exige um excelente equilíbrio entre a manutenção do seu direito de ter opinião e o respeito do direito do outro de também ter opinião. É necessário ser compassivo sem abrir mão das convicções.

Em Provérbios 15.1 encontramos: "A resposta calma desvia a fúria, mas a palavra ríspida desperta a ira". Tenho certeza de que você já descobriu isso em sua experiência. Eu já. Quando alguém faz uma pergunta, se você responder com arrogância, a pessoa provavelmente vai desafiá-lo. Mas, se responder com mansidão, a pessoa provavelmente ficará receptiva. Quando você grita com os outros, eles se colocam na defensiva.

Atente para o que Tiago 3.16,17 diz: "Pois onde há inveja e ambição egoísta, aí há confusão e toda espécie de males. Mas a sabedoria que vem do alto é antes de tudo *pura*; depois, *pacífica, amável, compreensiva*, cheia de misericórdia e de bons frutos, imparcial e sincera" (grifo do autor). Tiago destaca a causa das brigas e discussões: o egoísmo, querer impor nosso jeito e exigir que os outros concordem conosco. No entanto, ele continua dizendo que, se você for sábio, será pacífico, puro, amável e compreensivo. Conheço uma porção de pessoas muito inteligentes, mas também chatas. Elas sabem tudo. Não são amáveis, não são pacíficas, não são compreensivas. Estão sempre tentando impressionar a todos com o seu conhecimento. Se você for realmente sábio, será manso.

Uma vez li um livro intitulado *Patton's principles: for managers who mean it* [Princípios de Patton: para os líderes que estão dispostos], cheio de breves declarações do general George Patton. Um dos princípios que ele apresentava é: nunca entre numa luta quando não tiver nada a ganhar. Esse tipo de batalha é comum no casamento. Você já discutiu por causa de uma data sem sentido?

— Foi em 1982.

— Não, foi em 1983.

— Não, não foi. Foi em 1982.

— Não, foi em...

Que importa? Nunca entre numa batalha em que você não tem nada a ganhar. O relacionamento com seu cônjuge tem mais valor que aquilo que você está querendo provar. A maior parte do tempo nenhum dos dois realmente se importa quando o fato aconteceu. Talvez, em um jantar, sua mulher começou a contar uma história e você a corrigiu: "Querida, não foi assim. Lembre-se: foi a tia Maria, não a tia Suzana". Você acha que as pessoas que estão ouvindo se importam em saber qual foi a tia? Não. De maneira alguma. Não deixe que seu ego se envolva. Seja sábio. Seja manso.

A mansidão é a capacidade de *discordar amigavelmente*. Você pode se entender com alguém sem pensar igual. Afinal, se duas pessoas concordassem em tudo, uma delas não seria necessária. A mansidão é a capacidade de discordar amigavelmente.

Escrevendo a Timóteo, Paulo disse: "Ao servo do Senhor não convém brigar mas, sim, ser amável para com todos, apto para ensinar, paciente. Deve corrigir com mansidão os que se lhe opõem, na esperança de que Deus lhes conceda o arrependimento, levando-os ao conhecimento da verdade" (2Timóteo 2.24,25).

Paulo está dizendo que a mansidão é uma qualificação para a liderança espiritual. Você sabe o que isso significa para mim? Significa que o líder não deve se envolver em discussões, não deve se envolver em discórdias sem sentido e em conflitos inúteis. Especificamente, esse versículo diz que os pastores devem ser mansos com qualquer oposição à sua liderança e devem instruir com mansidão.

Até agora, discutimos três aspectos da mansidão: ser compreensivo, e não exigente, ser complacente, e não crítico e ser delicado sem ser derrotado. Você não precisa abandonar suas convicções, mas precisa ser manso na maneira pela qual as expressa. Vamos examinar um quarto aspecto.

Seja receptivo, e não inacessível

Quando alguém o *corrigir, seja receptivo, e não inacessível*. Em Tiago 1.19, lemos: "cada um esteja pronto para ouvir, mas demore para falar e ficar com raiva" (*NTLH*). Se você fizer as duas primeiras coisas, a terceira acontecerá naturalmente. Se você for pronto para ouvir e demorar para responder, demorará a perder o domínio próprio. Provérbios 13.18 diz: "Quem despreza a disciplina cai na pobreza e na vergonha, mas quem acolhe a repreensão recebe tratamento honroso". Se você quiser ser manso, use mais os ouvidos que a boca e esteja pronto a aceitar a correção.

Agora quero fazer uma pergunta aos maridos: quando sua mulher faz uma sugestão, você fica na defensiva? Recebe cada comentário como uma ameaça pessoal à sua masculinidade? A palavra grega traduzida como "manso" às vezes é traduzida como "submisso". Não gosto da palavra *submissão* porque, infelizmente, rima com frouxidão. As pessoas tendem a comparar submissão com fraqueza. É como se a mulher dissesse ao marido: "Você é um homem ou um rato? Vamos, guinche!".

Mas Jesus disse: "Bem-aventurados os mansos". A palavra grega traduzida aqui como "manso" também significa "gentil":

"Bem-aventurados os mansos, porque eles herdarão a terra" (Mateus 5.5; *ARC*). O que você pensa quando vê a palavra *manso*? Provavelmente, um capacho. Talvez imagine uma pessoa antiquada, sossegada e sem coragem, ou um gatinho encolhido num canto. No entanto, Jesus se considerava "manso" (Mateus 11.29) e certamente não tinha medo de ninguém. Os mansos, os gentis, vão herdar a terra porque são pessoas do tipo divino, são como Jesus Cristo.

As pessoas mais sábias que conheço são as que mais querem aprender com as outras. Estão sempre aprendendo. Admiro isso nas pessoas. Admiro pessoas que assumem uma atitude como se dissessem: "Ensine-me". Descobri que posso aprender com qualquer pessoa. Você também pode. Podemos aprender com qualquer um se tão somente soubermos fazer as perguntas certas. É importante nunca parar de fazer perguntas, porque, no momento que pararmos de aprender na vida, fracassaremos! Seja receptivo, e não inacessível.

Vou fazer uma pergunta: com quem você gosta de aprender? Você consegue aprender com seu marido ou ele a assusta? Você consegue aprender com sua esposa ou ela o assusta? Consegue aprender com seus filhos? Tenho aprendido muito com os meus filhos.

Uma boa receita para acabar sozinho na vida é: nunca admita um erro, nunca aprenda nada com ninguém, nunca permita que alguém lhe ensine algo. Garanto que acabará se tornando uma pessoa muito solitária. Ninguém tem todas as respostas. Eu não tenho. Você não tem. Ninguém tem. Por isso, temos de continuar aprendendo. É como a história da testemunha no tribunal para a qual o oficial de justiça perguntou:

— Você jura dizer a verdade, toda a verdade e nada mais que a verdade, com a graça de Deus?

O homem respondeu:

— Senhor, se soubesse toda a verdade e nada mais que a verdade, seria Deus!

É verdade. Ninguém tem todas as respostas. Mansidão implica em estar pronto a aprender com os outros.

Mansidão é também a disposição de admitir quando se está errado. Há quanto tempo você não admite isso ao seu cônjuge? "Querida, eu estava errado. Foi culpa minha." Há pessoas que não dizem isso há anos.

Lemos, em Tiago 1.21, que essa também é a atitude que devemos ter quando lemos a Palavra de Deus: "Recebei com mansidão a palavra em vós implantada" (*AEC*). Observe a palavra *mansidão*. No grego a palavra *manso* é a mesma que designa *submisso* e significa estar receptivo, e não inacessível. Quando lidamos com a Palavra de Deus, devemos assumir uma atitude mansa e humilde, dizendo: "Deus, quero aprender".

Aja, em vez de reagir

Quando alguém o *ferir, aja, em vez de reagir*. O apóstolo Pedro lembrou-se de como Jesus agiu no seu julgamento diante de Pilatos. "Quando insultado, não revidava; quando sofria, não fazia ameaças, mas entregava-se àquele que julga com justiça" (1Pedro 2.23). Enquanto Pilatos o questionava, Jesus poderia ter ordenado que todos os anjos do céu descessem e o libertassem imediatamente. O julgamento não era nem mesmo legítimo, mas Jesus suportou-o em silêncio. Vou fazer uma pergunta: quem estava realmente no controle daquela situação, Pilatos ou Jesus? A dinâmica psicológica dessa confrontação é fascinante. Pilatos se sentiu ameaçado pelo simples fato de Jesus não falar nada para se defender. Isso o deixou nervoso. Em vez de reagir diante de Pilatos, Jesus assumiu o controle da situação preferindo permanecer em silêncio. Não precisou reagir diante dos insultos do governador porque sabia exatamente quem era: o Filho de Deus.

Quando alguém o ferir, aja, em vez de reagir. A força está na mansidão e mansidão é a capacidade de lidar com a dor sem retaliação, é a capacidade de absorver o golpe sem revidar.

Jesus chamou isso de "oferecer a outra face". Você diz: "Isso não é fácil". Realmente, não é; é quase impossível. "Reagir desse jeito não é natural", você diz. Tem razão. É sobrenatural, é fruto do Espírito. É preciso o poder de Deus para viver dessa maneira.

Quando alguém no trabalho o fere pelas costas, o que você faz? Saca uma de suas grandes armas e reage? Talvez você diga: "Você me deixa louco!". Quando faz isso, está admitindo que outra pessoa tem controle sobre suas emoções, está reconhecendo que lhe deu o direito de determinar seus sentimentos e reações. Lembre-se disto: ninguém *toma* seu controle, é você que o entrega no momento em que começa a reagir. Quando alguém lhe é infiel, você reage sendo infiel com essa pessoa? Aprenda a agir, em vez de reagir.

A Palavra de Deus diz: "Não retribuam a ninguém mal por mal. [...] Não se deixem vencer pelo mal, mas vençam o mal com o bem" (Romanos 12.17,21). Esse é o poder da ação, e não da reação. Retaliar é reagir. Perdoar é agir, é dizer: "Eu decido como vou reagir".

Syndey Harris, colunista de uma agência de notícias, conta que acompanhou um amigo a uma banca de jornal e o viu cumprimentar o vendedor muito cortesmente. Contudo, em troca, recebeu uma atitude ríspida, mal-educada: o jornaleiro jogou-lhe um jornal. O amigo de Harris educadamente sorriu e desejou ao homem um bom fim de semana.

— Ele sempre o trata assim rudemente?
— Sim, infelizmente, ele me trata assim.
— Você sempre o trata com tanta educação e amizade?
— Sim.
— Por que você é tão gentil com ele se ele é tão grosseiro com você?

Preste atenção, vale a pena:
— Porque eu não quero que ele decida como eu vou reagir.

Isso é mansidão, força controlada, é escolher a maneira de responder às pessoas, decidir agir, em vez de reagir.

Você deixa que as outras pessoas controlem seu estado emocional? Deixa que elevem seu nível de felicidade ou o façam mergulhar em preocupações, medos ou na ira? Atente para o que diz Provérbios 16.32: "Melhor é o homem paciente do que o guerreiro, mais vale controlar o seu espírito do que conquistar uma cidade". Esse versículo está dizendo que a pessoa que pode controlar seu estado de espírito é mais forte do que um exército em uma cidade cercada por uma muralha. Contudo, a pessoa que não consegue controlar o próprio espírito é indefesa, como uma cidade desprotegida. Você não tem defesa, mas fica à mercê de qualquer coisa que alguém quiser lhe fazer. Vamos falar mais sobre isso no capítulo a seguir, em que examinaremos o fruto do domínio próprio.

Seja respeitoso

Há um último tipo de pessoa com a qual você deve praticar a mansidão: os não cristãos. Quando estiver dando testemunho, quando estiver falando de sua fé, *respeite, e não rejeite*. Você já reparou que várias evangelizações não passam de desprezo mal disfarçado? Falamos do evangelho com sentimento de superioridade: "Você precisa do que eu tenho porque você é muito mau". O fato é que as pessoas precisam das boas-novas, mas a nossa atitude pode impedir que as aceitem. Respeite os não cristãos, não os rejeite. Respeitá-los significa aceitá-los. Não significa que você tem de aprovar seu estilo de vida. Há uma diferença entre aceitação e aprovação. Posso aceitar você como uma pessoa digna sem aprovar tudo o que faz. E devo respeitar seu direito de ser tratado de maneira respeitosa.

Em 1Pedro 3.15, lemos: "Estai sempre preparados para responder com *mansidão e temor* a todo aquele que vos pedir a razão da esperança que há em vós" (*AEC*; grifo do autor). A maneira pela qual você fala do evangelho pode determinar a disposição das pessoas para ouvi-lo. Na realidade, sua atitude fala mais alto do que as palavras de sua mensagem. Algumas pessoas, infelizmente, usam o evangelho como marreta.

Há duas maneiras de quebrar um ovo. Uma delas é simplesmente quebrá-lo; a outra é colocá-lo em um local quente e confortável para que seja chocado e se abra no devido tempo. O segundo modo preserva o pintinho, ao passo que o primeiro o mata. De igual forma, há duas maneiras de apresentar as boas--novas às pessoas. Você pode bater-lhes na cabeça ou amá-las, introduzindo-as na família de Deus. A maneira mais eficiente de falar do evangelho com os não cristãos é cercá-los de amor e aceitação enquanto lhes fala. Seja manso. Respeite-os, e não os rejeite. D. T. Niles disse: "Evangelização é simplesmente um mendigo contando a outro onde encontrar pão".

Jesus era manso e deseja que sejamos mansos ao falar dele aos outros. A mansidão era natural para Jesus, mas não é para muitos de nós. Temos de aprender a ser mansos.

Um dos benefícios positivos de se tornar mais manso é ter um estilo de vida mais calmo. Você se tornará mais flexível, mais capaz de enfrentar o que der e vier. Muitas pessoas sofrem esgotamento nervoso porque não têm mansidão. Elas estão sempre exigindo seus direitos, julgando os outros, sempre querem provar que estão certas, não se dispõem a aprender, reagem às situações, em geral, com ira ou medo e raramente tratam os outros com respeito ou dignidade.

Agora você entende exatamente por que a mansidão é importante para se ter uma vida saudável e feliz? Faça um balanço de sua vida por alguns minutos. Em quais relacionamentos você encontra dificuldades para ser manso? Seja específico. Anote suas áreas problemáticas e coloque essa lista dentro da Bíblia. Então, enquanto estiver lendo a Palavra e orando, fale com Deus sobre esses relacionamentos e peça que o ajude a ser manso com essas pessoas. Lembre-se: você não pode fazer isso sozinho, por mais força de vontade que tenha. A mansidão faz parte do fruto do Espírito.

{11}
Desenvolvendo o domínio próprio

Muitos dos nossos problemas são causados pela falta de domínio próprio. Por que não consigo perder peso? Por que não consigo ficar no emprego? Por que não consigo manter a casa limpa? Por que não consigo trabalhar de maneira eficiente? Por que não consigo acabar com aquele mau hábito? Por que não consigo entrar em forma? Por que não consigo pagar minhas dívidas? Não consigo fazer essas coisas porque preciso de domínio próprio. Meu maior problema sou eu mesmo!

Talvez, assim como muitas pessoas nos dias de hoje, você sente que sua vida está fora de controle, e talvez esteja. Você se sente sobrecarregado pelas circunstâncias e pressões, se sente indefeso e vulnerável. Como um carro com uma direção quebrada, você derrapa nas curvas sem controle na direção. É um sentimento assustador. Lemos em Provérbios 25.28: "Como a cidade com seus muros derrubados, assim é quem não sabe dominar-se".

O domínio próprio traz consigo o sentimento agradável da competência. Como um automóvel excelentemente regulado, sua vida anda na estrada com o mais leve toque na direção. O resultado do domínio próprio é a confiança e o sentimento de segurança.

O domínio próprio e a autodisciplina são também fatores-chave para o sucesso em qualquer objetivo que você quiser alcançar na vida. Sem autodisciplina, provavelmente você não conseguirá nada valioso de fato. O apóstolo Paulo sabia disso quando escreveu: "Todos os que competem nos jogos se submetem a um treinamento rigoroso, para obter uma coroa que logo perece; mas nós o fazemos para ganhar uma coroa que dura para sempre" (1Coríntios 9.25). "Sem esforço, não há vitória", é o lema dos treinadores de condicionamento físico, e eles têm razão. O melhor desempenho exige autodisciplina e autocontrole. Os atletas olímpicos treinam durante anos para ter a oportunidade de ganhar alguns momentos de glória. No entanto, a nossa corrida é muito mais importante que qualquer evento atlético do planeta. Por isso, o domínio próprio não é opcional para os cristãos.

Se quisermos alcançar verdadeira liberdade, precisamos de domínio próprio. O filósofo grego Epicteto estava certo quando disse: "Nenhum homem é verdadeiramente livre até que se domine". Jesus o expressou nestas palavras: "Todo aquele que vive pecando é escravo do pecado" (João 8.34). Sansão pode ter sido o homem mais forte do mundo, mas foi escravizado por sua concupiscência e seus desejos porque não tinha domínio próprio. A força sem domínio próprio trouxe-lhe problemas.

As pessoas fazem de tudo para ter domínio próprio ou para compensar sua falta. Você já percebeu isso? Remédios, terapia, seminários, resoluções, cirurgia. Elas tentam de tudo. Uma propaganda de um programa de perda de peso dizia o seguinte: "Se você nunca conseguiu perder peso permanentemente, talvez precise de um pouco de ajuda interior". Eu pensei: *Ótimo! É exatamente disso que preciso. A Bíblia diz que preciso ser forte no meu ser interior: o domínio próprio.* Então continuei lendo: "Você está farto dos programas de perda de peso, certo? Já experimentou quase todos os regimes e depois recuperou o peso de novo. Bem, há uma coisa que você deve saber: comer demais não é simplesmente um mau hábito, é uma doença. E, como qualquer outra doença, você não pode tratá-la sozinho; precisa de ajuda profissional.

Você pode recebê-la (agora se prepare) com o *Programa do balão gástrico*. Veja como funciona: um balão plástico é inserido em seu estômago, sem cirurgia. Acontecem duas coisas: ele ocupa um grande espaço, levando você a comer menos e diminui seu apetite. *Resultado: você perde peso*" (*Orange County Register*, 18 de abril de 1985). Como eu disse, as pessoas fazem de tudo para obter mais domínio próprio ou para compensar a falta dele.

Bem, se essas respostas "rápidas e fáceis" não produzem domínio próprio, como obtê-lo? Como ganhar domínio próprio? A Palavra de Deus é bastante clara sobre esse assunto. Sugiro sete passos para o domínio próprio.

Admita o seu problema

O primeiro passo para desenvolver o domínio próprio é aceitar a responsabilidade pela falta dele. Admita o seu problema.

Veja o que diz Tiago 1.14: "Cada um, porém, é tentado pelo *próprio mau desejo*, sendo por este arrastado e seduzido" (grifo do autor). Você entende o que isso quer dizer? Quer dizer que você faz coisas de que *gosta*! Quando faço algo que sei que me fará mal, faço porque gosto, porque quero. É meu próprio desejo.

Com frequência, tentamos ignorar ou negar nossos problemas: "Eu não tenho problema. Que problema?". Com frequência racionalizamos: "Eu simplesmente sou assim", "Todo o mundo faz isso". Às vezes, acusamos os outros: "Se eu pelo menos tivesse pais diferentes", "O Diabo me obrigou a fazê-lo". Sabe, podemos culpar qualquer um, mas enquanto desperdiçarmos a energia inventando desculpas, não poderemos resolver o problema.

Tiago diz que gostamos de tomar o caminho mais fácil, que geralmente é nos entregar à tentação. O ponto de partida para desenvolver domínio próprio é enfrentar o que Deus já disse a meu respeito: sou responsável por meu comportamento. Você quer ter mais domínio próprio? O primeiro passo é admitir que tem um problema e ser específico a respeito dele: "Tenho este problema. É nisso que preciso de ajuda". Talvez você tenha um problema com comida, bebida, palavras, temperamento, dinheiro, exercício, sexo, roupas, tempo. Todas essas diferentes áreas precisam de domínio próprio. Comece orando especificamente a respeito de suas áreas com problema.

Deixe o passado para trás

O segundo passo para desenvolver domínio próprio, que é muito importante, é deixar o passado para trás. Observe o que Paulo diz em Filipenses 3.13,14: "esquecendo-me das coisas que ficaram para trás e avançando para as que estão adiante, prossigo para o alvo, a fim de ganhar o prêmio". Esse versículo denuncia um conceito errado que o afasta do domínio próprio: uma vez fracassado, sempre fracassado. Talvez você diga: "Ah! Eu tentei acabar com o meu mau hábito. Na realidade, já tentei quinze vezes. Acho que nunca serei capaz de controlar isso". É um conceito errado. O fracasso no passado não significa que você nunca será capaz de mudar. Contudo, concentrar-se nele é uma garantia de repeti-lo. É como dirigir um carro e olhar pelo retrovisor o tempo todo. Você acaba batendo no carro à sua frente. Você tem de deixar o passado para trás.

Você já observou um bebê que está começando a andar? Ele pode cair uma porção de vezes, mas não para; continua tentando até, finalmente, conseguir. O bebê aprende a andar pela persistência. Dá para imaginar onde você estaria se tivesse desistido depois de tropeçar e cair duas ou três vezes? *É desanimador. Sou um fracasso. Nunca conseguirei andar. Vamos aceitar os fatos. Algumas pessoas aprendem a andar, outras não. Eu simplesmente cheguei à conclusão de que não sou uma pessoa que anda porque já tentei e fracassei três vezes.*

A primeira vez que beijei uma garota, estava muito nervoso. Isto é, não queria que nossos narizes se tocassem. Por isso, inclinei um pouco a cabeça ela fez o mesmo, e tentamos nos aproximar. Fico envergonhado ao admitir o que aconteceu depois.

Ela tinha cabelos longos e meus óculos se prenderam no cabelo dela. Meu primeiro beijo foi um fiasco, mas me alegro por não ter desistido de beijar!

Deixe o passado para trás. Não importa quantas vezes você tenha falhado. Tente de novo. Desta vez, tente de maneira diferente, admitindo que tem um problema. Deixe o passado para trás. Como Thomas Edison disse uma vez: "Não diga que foi um fracasso, diga que foi uma lição! Agora você sabe o que não funciona!".

Conteste os seus sentimentos

O próximo passo para ter mais domínio próprio é contestar seus sentimentos. Desafie-os. Atualmente, damos demasiada ênfase aos nossos sentimentos, achamos que tudo precisa nos proporcionar bons sentimentos, senão não vale a pena: "Não sinto vontade de estudar. Não sinto vontade de trabalhar. Não sinto vontade de sair da cama. Não sinto vontade de ler a Bíblia". Ou: "Sinto vontade de comer mais um prato ou de beber mais um suco. Sinto vontade de assistir à TV por dez horas". Não dê aos seus sentimentos tanta autoridade. Eles não são dignos de confiança.

Vou fazer uma pergunta: você permite que seu estado de espírito o manipule? Deus não quer que você seja controlado pelos sentimentos, mas que domine seu estado de espírito. Se Cristo é o Mestre de sua vida, você *pode* aprender a dominar seus sentimentos. Conteste-os. Deus quer que você aprenda a desafiar suas emoções.

Por exemplo, vamos dizer que você está lutando contra o estômago, que está ficando grande. Antes de entrar na cozinha e abrir a geladeira, converse consigo mesmo sobre a comida. Se você realmente estiver querendo perder peso, deve desafiar algumas atitudes inconscientes em relação à comida. Quando você disser a si mesmo: "Simplesmente *preciso* comer alguma coisa, senão vou morrer", deve contestar esse sentimento e dizer:

"Não, não vou morrer se não comer alguma coisa. Na realidade, terei ainda mais saúde".

Em Tito 2.11,12 lemos: "Pois a graça de Deus [...] nos ensina a renunciar à impiedade e às paixões mundanas e a viver de maneira sensata, justa e piedosa nesta era presente". A graça de Deus nos dá o poder de fazer o que é certo. Deus nos dá a capacidade de dizer "não" àquele sentimento, àquele desejo, àquele impulso. É um poder sobrenatural. Com a ajuda de Deus, você pode dominar seu estado de espírito.

Creia que você pode mudar

Para mudar e ter mais domínio próprio, você deve começar a crer que pode mudar. A verdade é que sua crença controla seu comportamento. Em quase todos os capítulos, mencionei que o fruto do Espírito começa em pensamento. A semente tem de ser plantada em sua mente. O que você pensa determina o que sente, e o que sente determina como age.

Tanto a pessoa que diz: "Eu não consigo" quanto a que diz: "Eu consigo" estão certas. A maior parte do tempo, você se condiciona a ser derrotado por um hábito dizendo: "Nunca vou deixar de fazer isso. Simplesmente, sou assim. Nunca conseguirei mudar". Sua crença se transforma em uma profecia que se cumpre.

Três vezes, em 1Pedro, Deus nos exorta para que sejamos lúcidos e autocontrolados. Por quê? Porque a lucidez tem muito a ver com o autocontrole. Deus nos deu o poder de mudar os hábitos quando nos deu o poder de escolher os pensamentos. Será que Romanos 1.2 nos manda ser transformados pelo esforço próprio ou por pura força de vontade? Não. Como somos transformados? Pela renovação da mente. Quando seu autocontrole estiver em prova, você precisa alimentar a mente com as promessas de Deus. Vamos examinar uma das maravilhosas promessas de Deus.

Em 1Coríntios 10.13, encontramos a seguinte declaração: "Deus é fiel; ele não permitirá que vocês sejam tentados além do que podem suportar. Mas, quando forem tentados, ele mesmo lhes providenciará um escape, para que o possam suportar". É um fato. Se você é cristão, não pode nunca dizer: "A tentação foi forte demais; não aguentei". A Bíblia diz que Deus é fiel. Se você é cristão, ele não permitirá que seja tentado além do que pode suportar. Deus nunca coloca mais *sobre* você do que *em* você.

Portanto, concentre-se nas promessas positivas de Deus de ajuda e força. Lemos em Filipenses 4.13: "Tudo posso naquele que me fortalece". Eu posso *mudar*. Eu posso ser diferente. Pare de se programar para o fracasso criticando-se constantemente. Pare de se irritar, condenar e desprezar: "Ah! Eu não valho nada. Não sou bom. Eu não deveria nem mesmo ir à igreja. Simplesmente não consigo controlar minha vida". Condenar não resolve nem para você nem para os outros! Em vez disso, lembre-se do que Jesus diz: "Tudo é possível àquele que crê" (Marcos 9.23).

Seja responsável

O quinto passo no desenvolvimento do domínio próprio é difícil: prestar contas. Não gostamos, mas precisamos disso desesperadamente. Descubra alguém que possa zelar por você, que ore com você e o encoraje nas áreas em que deseja desenvolver mais domínio próprio. Lemos em Eclesiastes 4.12: "Um homem sozinho pode ser vencido, mas dois conseguem defender-se". Esse é o valor do método dos Alcoólicos Anônimos, o sistema da "parceria", no qual você é encorajado a telefonar para alguém sempre que sentir o impulso de retornar aos antigos hábitos destrutivos. Gálatas 6.2 diz: "Partilhem as dificuldades e problemas uns dos outros, obedecendo dessa forma à ordem do nosso Senhor" (*BV*).

Vou sugerir um projeto. Se você estiver querendo seriamente adquirir domínio próprio, procure alguém em sua igreja, fale com ele e diga: "Tenho este problema. Já o confessei a Deus. Quer ser meu 'parceiro', uma pessoa a quem posso telefonar quando precisar de apoio e encorajamento?". Creio que Deus quer que toda igreja tenha muitas "parcerias" nas quais as pessoas sejam responsáveis umas pelas outras, relacionamentos em que as pessoas se ajudem e se encorajem no Senhor. Prestar contas a alguém é difícil, mas funciona.

O que você deve buscar em um "parceiro"? Diversas coisas. Primeiro, homens devem ter homens como "parceiros" e mulheres, mulheres. Quando duas pessoas partilham suas lutas, um elo natural se cria e desenvolve intimidade. Não coloque outra tentação no seu caminho, partilhando problemas pessoais com alguém do sexo oposto. Além disso, procure alguém em quem possa confiar nesse compromisso, alguém que seja fiel. E procure alguém que mantenha seu problema em segredo. Não escolha alguém que reconhecidamente fale demais. Uma última observação que pode ajudar esse sistema de "parceria" a funcionar: diga ao seu "parceiro" que ele tem permissão para questioná-lo de vez em quando. Dê-lhe o direito de perguntar: "Como vai indo com o seu problema?". Saber que alguém lhe perguntará sobre seu problema é mais um incentivo para não cair em tentação. Esse pode ser o estímulo que faltava para fazê-lo tomar o rumo da vitória no caminho do domínio próprio.

Evite a tentação

O sexto passo para ter mais domínio próprio é o bom senso: fuja das coisas que o tentam. Fuja das situações que enfraquecem seu domínio próprio. Se não quiser ser picado, fique longe das abelhas.

Como orientador de jovens, costumo dizer-lhes: "Neste estágio de suas vidas seus impulsos sexuais são tão fortes que vocês devem estar preparados com antecedência para controlá-los. Quando saírem com a namorada, vocês serão dirigidos por seus planos ou por suas glândulas! Portanto, planejem o que farão ou deixarão de fazer no encontro. O momento certo para começar a pensar sobre o exercício do domínio próprio não é no banco de trás de um carro".

Desenvolvendo o domínio próprio

Planeje com antecedência e evite situações que provoquem tentações na vida. Não guarde doces no armário se estiver tentando fazer regime. Não tenha cartões de crédito se for um comprador compulsivo. Planeje sua vida para evitar coisas que enfraqueçam o seu domínio próprio.

Em Efésios 4.27, lemos: "não deem lugar ao Diabo". Não lhe dê uma chance em sua vida. Uma vez, conversei com um homem que havia deixado de fumar e perguntei como tinha conseguido. Ele disse: "Eu molhei meus fósforos!". Quando chegava a hora de acender um cigarro, estava tudo sob controle.

O que você precisa evitar em sua vida? De que precisa se livrar? Talvez algumas revistas? Talvez alguns livros ou vídeos em casa? Talvez você precise romper um relacionamento que sabe é prejudicial. Em 1Coríntios 15.33, lemos: "As más companhias corrompem os bons costumes". Talvez você precise se manter afastado de algumas pessoas. Talvez, sempre que se encontra com determinadas pessoas, você se entregue à tentação. A Bíblia nos adverte a respeito desses amigos. Evite as pessoas e as situações que o tentam a perder o domínio próprio.

Há um maravilhoso livro infantil intitulado *Frog and toad together* [A pererca e o sapo], de Arnold Lobel. O trecho a seguir é de uma seção chamada "Bolinhos":

> *O Sapo assou uns bolinhos.*
> *— Esses bolinhos estão cheirando muito bem — disse o Sapo.*
> *Ele comeu um.*
> *— E têm gosto ainda melhor — disse.*
> *O Sapo correu à casa da pererca.*
> *— Pererca, Pererca! — gritou o sapo. — Experimente esses bolinhos que eu fiz.*
> *A Pererca comeu os bolinhos.*
> *— São os melhores bolinhos que eu já comi! — disse a Pererca.*
> *A Pererca e o Sapo comeram muitos bolinhos, um depois do outro.*

— Sabe de uma coisa, Sapo — disse a Perereca com a boca cheia —, acho que devíamos parar de comer. Logo vamos ficar doentes.

— Você tem razão — disse o Sapo.

— Vamos comer este último bolinho e então vamos parar.

A Perereca e o Sapo comeram o último bolinho. Havia ainda muitos bolinhos na cumbuca.

— Perereca — disse o Sapo —, vamos comer mais um só e então vamos parar.

A Perereca e o Sapo comeram o último bolinho.

— Temos de parar de comer! — exclamou o Sapo enquanto comia outro bolinho.

— Sim — disse a Perereca, estendendo a mão para outro bolinho —, precisamos de força de vontade.

— O que é força de vontade? — perguntou o Sapo.

— Força de vontade é tentar muito não fazer alguma coisa que realmente queremos fazer.

— Você quer dizer como tentar não comer todos estes bolinhos? — perguntou o Sapo.

— Certo — disse a Perereca. A Perereca colocou os bolinhos em uma caixa.

— Pronto — disse ela. — Agora não vamos comer mais nenhum bolinho.

— Mas podemos abrir a caixa — disse o sapo.

— É verdade — disse a Perereca. A Perereca amarrou a caixa com um barbante.

— Pronto — disse. — Agora não vamos mais comer os bolinhos.

— Mas podemos cortar o barbante e abrir a caixa — disse o Sapo.

— É verdade — disse a Perereca. A Perereca arranjou uma escada e colocou a caixa em cima do armário.

— Pronto — repetiu a Perereca. — Agora não vamos mais comer nenhum bolinho.

— Mas podemos subir pela escada, tirar a caixa do armário e cortar o barbante e abrir a caixa — disse o Sapo.

— É verdade — concordou ela.

A Perereca subiu pela escada e pegou a caixa de cima do armário. Cortou o barbante e abriu a caixa. Então, levou a caixa para fora. Ela gritou com voz forte e alta:
— Ei, passarinhos, aqui estão os bolinHos!
Os passarinhos vieram de todos os lados, pegaram todos os bolinhos com o bico e foram embora.
— Agora não temos mais bolinhos para comer — disse o Sapo tristemente. — Nenhum bolinho.
— Sim — disse a Perereca —, mas temos muita, muita força de vontade!
— Você pode ficar com toda ela, Perereca — disse o Sapo. — Eu vou para casa assar um bolo.[1]

A nossa força de vontade é assim! A questão é: o que na sua vida precisa ser "jogado aos passarinhos"? O que você precisa evitar? Talvez precise trocar de emprego por causa de um mau relacionamento que o esteja prejudicando. É uma medida drástica, mas talvez você precise fazer alguma coisa significativa para fugir de qualquer tentação atualmente. Você sabe que não é o bastante forte para resistir agora.

Vamos recapitular os passos no desenvolvimento do domínio próprio tratados até o momento: admita seu problema, deixe o passado para trás, conteste seus sentimentos, comece a crer que você pode mudar, seja responsável diante de alguém e fuja das coisas que o tentam. Agora há mais um passo, que é o segredo do domínio próprio duradouro.

Dependa do poder de Cristo

Se você quiser desenvolver domínio próprio, aprenda a depender do poder de Cristo para ajudá-lo. Lemos em Gálatas 5.16: "Vivam pelo Espírito, e de modo nenhum satisfarão os desejos da carne". Observe a sequência nessa frase. É muito importante. Deixe o Espírito dirigir sua vida — essa é a primeira

---
[1] Harper & Row. Usado sob permissão. Tradução livre.

parte —, e você não satisfará os desejos da natureza humana. Observe, a passagem não diz que você não terá esses desejos. As pessoas cheias do Espírito ainda vão *ter* os desejos da carne. Ela diz simplesmente que você não o satisfará mais.

Geralmente, entendemos a sequência ao contrário. O que costumamos dizer é: "Não sou suficientemente bom para ter o Espírito de Deus em minha vida. Não sou digno de que ele me dirija. Minha vida é uma bagunça. Quando me acertar, quando mantiver minha vida sob controle, então irei a Deus e realmente viverei para ele, então vou deixar que o Espírito Santo controle minha vida, depois que resolver tudo". Deus diz: "Não, essa não é a sequência". Ele não diz: "Resolva tudo e *então* ajudarei você". Antes, Deus diz: "Deixe-me entrar em sua vida. Deixe o meu Espírito Santo controlá-lo *enquanto* você ainda estiver lutando contra aquele problema. Vou ajudá-lo a mudar". A sequência faz uma incrível diferença.

O que você pensaria se eu dissesse: "Primeiro vou sarar e depois vou consultar o médico". Você diria que fiquei louco. É uma ideia ridícula, como: "Estou me sentindo melhor; por isso vou tomar o remédio". É absurdo, mas ouço pessoas dizendo coisas parecidas o tempo todo: "Sabe, Rick, vou vencer este mau hábito e começar a frequentar a igreja. Vou limpar a minha vida, e depois aceitarei a Cristo". Ou: "Tenho um problema em minha vida, vou aguardar até o problema ser resolvido, para depois ser batizado". A verdade é que você precisa de Cristo em sua vida *agora* para ajudá-lo a vencer o problema. Ele tem o poder de ajudá-lo a mudar.

Também já ouvi muita gente dizer: "Não sou bastante bom para ser cristão, por isso nem vou tentar". Ótimo! Não tente, apenas confie. Confie em Cristo e dependa dele para ajudá-lo naquilo que você não tem capacidade para mudar. E encontre uma igreja em que possa crescer. A igreja é um hospital para pecadores, não um hotel para santos. A igreja é para as pessoas que estão sofrendo, para pessoas que não estão ajustadas, mas são bastante honestas para dizer: "Não somos perfeitos, mas queremos crescer. E estamos todos juntos nisso".

Talvez você diga: "Sei em que tenho falta de domínio próprio e sei em que estou errado, mas continuo fazendo isso". E então? Você acha que isso surpreende a Deus? A Bíblia diz que no pecado há prazer durante algum tempo. O que significa isso? Significa que o pecado é divertido, pelo menos, por algum tempo. Nenhum de nós pecaria se o pecado imediatamente nos tornasse infelizes.

Observe o que diz Filipenses 2.13: "Porque Deus está operando em vocês, ajudando-os a desejar obedecer-lhe, e depois ajudando-os a fazer aquilo que ele quer" (*BV*). Não é um grande versículo? Diz que Deus, além de lhe dar o desejo de fazer o que é certo, também lhe dá poder para fazer *o que é certo*, mas você tem de deixá-lo entrar em sua vida primeiro.

Em que área(s) de sua vida você tem dificuldade de dizer "não"? Você luta para dizer "não" à comida? Você luta para dizer "não" quando gasta em excesso? Álcool? Drogas? Sexo ilícito? Cigarros? Você luta para dizer "não" aos sentimentos? Talvez esteja realmente lutando contra um vício. E Deus se importa com você, mas a melhor parte é que ele é capaz de fazer algo a respeito disso. Você não gostaria de fazer uma pausa agora e orar pensando nesses sete passos, pedindo a Deus que o ajude a começar a trilhar a estrada do domínio próprio?

O segredo do domínio próprio é o controle de Cristo. Se você ainda não fez isso, peça-lhe que assuma o controle de sua vida agora mesmo. Então, quando enfrentar tentações fortes demais para resistir, lembre-se de que ele está com você e volte-se para ele. Lembre-se: Cristo lhe dá o poder de mudar sua vida!

{ 12 }
Uma vida produtiva

Você já imaginou por que algumas pessoas são capazes de realizar tanta coisa na vida? O que as torna tão produtivas? Nos Estados Unidos, somos muito conscientes da produtividade em todos os níveis. Uma vez por mês, o governo publica um relatório de nosso Produto Interno Bruto. Ele apresenta a produção de nossas empresas e indústrias. É um quadro importante da saúde econômica do país.

Imagine que cada um de nós tivesse de publicar um relatório de produtividade individual uma vez por mês. Como seria o seu? Apresentaria resultados positivos ou negativos, crescimento ou declínio? Pense no futuro. O que você gostaria de fazer para que, no final da vida, pudesse dizer: "Tive uma vida produtiva. Realizei o que pretendia?". Você já definiu o que considera uma vida produtiva? Mais importante que isso, você conhece a definição divina de uma vida produtiva, fecunda? O que significa ser um cristão fecundo?

A palavra *fruto* é usada mais de 40 vezes no Novo Testamento. Três tipos diferentes de fruto são mencionados. O primeiro tipo é o fruto natural: figos, uvas, passas. É o tipo de fruto que comemos. A Bíblia também menciona frutos biológicos: bebês. O terceiro fruto é o fruto espiritual: o caráter de Cristo. Nos capítulos precedentes, examinamos o fruto do Espírito: amor, alegria, paz, paciência, amabilidade, bondade, fidelidade, mansidão e domínio próprio. Deus quer ver esse tipo de fruto em nossa vida. Essa é a definição dele de uma vida produtiva.

Em João 15.8, Jesus diz: "Meu Pai é glorificado pelo fato de vocês darem muito fruto; e assim serão meus discípulos". A prova de que você é um discípulo é que dá fruto: "Vocês não me escolheram, mas eu os escolhi para irem e darem fruto, fruto que permaneça" (João 15.16). Deus quer que demos fruto, muito fruto, quer que sejamos produtivos. Neste capítulo final, vamos examinar as quatro condições apresentadas na Bíblia para sermos fecundos.

Cultive as raízes

Se eu quiser ser fecundo, devo *cultivar algumas raízes*. Deus diz que, sem raízes, não há fruto. Em Jeremias 17.7,8 lemos: "Mas bendito é o homem cuja confiança está no Senhor, cuja confiança nele está. Ele será como uma árvore plantada junto às águas e que estende as suas raízes para o ribeiro. Ela não temerá quando chegar o calor, porque as suas folhas estão sempre verdes; não ficará ansiosa no ano da seca nem deixará de dar fruto". É preciso ter boas raízes para dar fruto. Se você não tiver raízes, simplesmente não dará nenhum fruto.

Mas por que precisamos de raízes? Essa passagem nos dá um motivo. Precisamos de raízes para suportar as intempéries: o calor e a seca. As raízes são fontes vitais de nutrição para a planta ou para a árvore inteira. Você já sentiu o calor dos momentos de pressão na vida? Tenho certeza de que se lembra dos momentos de estresse. Então precisa de raízes.

Fui criado perto das gigantescas sequoias ao norte da Califórnia. É espantoso como elas suportam os piores incêndios nas florestas e até mesmo conseguem sobreviver a talhos de um metro a um metro e meio em seu tronco por causa de suas tremendas raízes. Agora pense em uma árvore mais comum, como o carvalho. As raízes de um grande carvalho, alinhadas, somam diversas centenas de quilômetros. Por isso os carvalhos são tão estáveis.

Li há pouco tempo a respeito da bananeira. Ela é quase indestrutível. Você pode picá-la em pedacinhos ou até queimá-la, que ela continua crescendo. Há apenas uma maneira de acabar com a bananeira: arrancando suas raízes. A raiz é a chave do fruto.

Provérbios 12.3 diz que "a raiz dos justos não será removida" (*AEC*). O homem justo pode enfrentar o calor, um período de seca, uma longa estação sem chuvas. Na seca, os recursos são limitados. Tudo murcha, e muitas coisas morrem, mas o justo permanece. Você já percebeu que, na vida, às vezes, temos de ficar sem as coisas das quais normalmente dependemos?

Talvez você esteja passando por um período de seca neste exato momento. Talvez esteja passando por falta de apoio emocional. Talvez esteja sem amigos, sem saúde, sem emprego ou sem estabilidade financeira. Ou talvez esteja enfrentando limitações de tempo, de energia ou de dinheiro. Você está passando por um período de seca. Como você lida com a estação de seca da vida? Você murcha, seca e desaparece?

Se visitar o deserto do Arizona, você verá que está cheio de diferentes tipos de vegetação. Os contrastes sempre me fascinaram. O amaranto seco e quebradiço desaparece. Por quê? Porque não tem raízes. Em contraste, o cacto saguaro dá frutos até mesmo sob 130ºC. Por quê? Porque o saguaro tem raízes que vão de 1.500 a 1.800 metros em todas as direções. É preciso ter raízes para enfrentar uma estação seca.

Qualquer um pode sobreviver a um dia de seca, mas sobreviver a um período extenso de estresse é bem diferente. Por exemplo, se o fluxo de caixa do seu negócio for ruim durante um mês, você provavelmente dirá: "Bem, vai melhorar no mês seguinte". Contudo, no final do segundo mês, se as coisas não melhorarem, você começará a ficar um pouco ansioso. No terceiro mês, começará a entrar em pânico e no quarto, provavelmente, terá de lutar contra uma grande depressão, a não ser que tenha algumas raízes.

Como cultivar as raízes? Um bom lugar para começar é memorizando Salmos 1.2,3. O salmista fala sobre a vida estável, a vida que tem raízes. Ele diz que as raízes são desenvolvidas lendo e meditando na Palavra de Deus. Aprendemos isso também no Novo Testamento, em Colossenses 2.6,7. Gaste tempo lendo diariamente a Palavra de Deus, além de meditar sobre ela, memorizá-la e obedecer-lhe. É assim que você desenvolve fortes raízes espirituais, raízes que penetram profundamente no solo da Palavra de Deus. Essas raízes o capacitarão a enfrentar o calor da pressão e a falta de água.

Elimine as ervas daninhas

A segunda coisa que você precisa fazer para ser produtivo é *eliminar as ervas daninhas* de sua vida. Jesus dá um exemplo disso na parábola do semeador. Ele menciona quatro tipos de solo, cada um representa um jeito de reagir à Palavra de Deus. Em Lucas 8.11-14, lemos: "A semente é a palavra de Deus. [...] As que caíram entre espinhos são os que ouvem, mas, ao seguirem seu caminho, são sufocadas pelas preocupações, pelas riquezas e pelos prazeres desta vida, e não amadurecem". Se você quiser dar fruto, tem de cultivar boas raízes e eliminar as ervas daninhas.

Aqui está uma pergunta trivial para você: quantas espécies de ervas daninhas crescem nos Estados Unidos? O governo diz que existem 105 variedades. Calculo que 72% delas estão no meu quintal. Na realidade, já pensei em fazer uma exposição e colocar um letreiro: "Sítio de ervas daninhas de Warren". São incríveis.

Quais são as ervas daninhas de sua vida? Muitos diferentes tipos de ervas daninhas podem abarrotar sua vida e sufocar sua vitalidade espiritual. As ervas daninhas são as preocupações e os interesses que sugam seu tempo, sua energia, seu dinheiro e não o deixam produzir o fruto espiritual.

Ouço as pessoas dizerem: "Simplesmente não tenho tempo para servir ao Senhor. Vivo ocupado demais. Não tenho tempo para me dedicar". Se isso for verdade em sua vida, então você está ocupado demais! Precisa arrancar algumas ervas daninhas. Muitas coisas na vida não são necessariamente más; são apenas desnecessárias. Talvez você precise enxugar um pouco a sua agenda. Quem quer abraçar o mundo inteiro de uma só vez não é tão inteligente quanto pensa. Se você colocar muito ferro sobre o fogo, poderá apagá-lo. É preciso eliminar as ervas daninhas.

Jesus menciona três variedades de ervas daninhas. Primeiro, temos as ervas daninhas da preocupação, os cuidados e as preocupações diárias que exigem nossa atenção. Depois, há as ervas daninhas da riqueza. O seu trabalho domina tanto sua vida, que você não tem nenhum tempo para o Senhor? Então, é uma erva daninha. O terceiro tipo de erva daninha é o prazer. Sim, até mesmo as atividades agradáveis podem se tornar ervas daninhas. Ir atrás de "uma boa vida" pode sufocar seu crescimento espiritual. Você conhece pessoas que colocam a recreação em primeiro lugar na vida? É bom se divertir, mas é preciso ter prioridades. Quando a praia se torna mais importante do que a Bíblia, suas prioridades estão desequilibradas.

Agora pense nisto: quanto esforço é necessário para plantar ervas daninhas? O que você precisa para cultivá-las? Nada! Elas crescem muito bem sozinhas. Por isso são daninhas. Você tem de cuidar do tomateiro, mas não tem de fazer nada para que cresçam as tiriricas. Elas vão crescer, rapidamente, sem nenhuma ajuda sua ou de qualquer outra pessoa.

A erva daninha é sinal de negligência e, quando negligenciamos a leitura da Bíblia, a oração e a comunhão com os outros cristãos, elas crescem e abafam nossa vida espiritual. Elas nos impedem de produzir fruto. Portanto, para dar fruto, precisamos nos aprofundar e cultivar nossas raízes e devemos eliminar as ervas daninhas de nossa vida.

Coopere com Deus

Para ser um cristão fecundo, é preciso *cooperar com Deus na poda* de minha vida. Em João 15.1,2, Jesus diz: "Eu sou a videira verdadeira, e meu Pai é o lavrador. Ele corta fora todos os ramos que não produzem. E limpa os ramos que dão fruto, para que produzam ainda mais" (*BV*). Podar significa *cortar* os galhos mortos e *aparar* os vivos, para dar corpo à arvore ou videira e estimular seu crescimento.

Tenho um vizinho chamado Ezra. É um judeu idoso, uma excelente pessoa. Ezra é um incrível cultivador de roseiras. Seu jardim e quintal são simplesmente maravilhosos, por isso o convidei para vir ao meu quintal e realizar sua mágica em minhas roseiras. Ele é fora do comum. Trouxe seus instrumentos para fazer a poda, e não teve compaixão. Cortou-me o coração vê-lo podar minhas roseiras. Tique, tique, tique! Quando terminou, minhas roseiras não passavam de toquinhos. Os podadores profissionais vão dizer-lhe que a maioria das pessoas é medrosa demais quando se trata da poda. Costumava pensar que podar era cortar gentilmente os galhinhos mortos. Nada disso. Os galhos vivos também precisam ser podados, galhos, folhas e flores. Evidentemente, Ezra sabia o que estava fazendo, porque minhas rosas nunca floresceram tanto.

Essa é a questão. A maioria das pessoas pensa que, quando Deus nos poda, corta o pecado e as superficialidades, as coisas mortas em nossa vida. Ele faz isso, mas também corta partes vivas e produtivas: um negócio que está indo muito bem, um relacionamento agradável, uma boa saúde. Algumas dessas coisas devem ser derrubadas para darmos mais fruto. Não apenas os galhos mortos são cortados. Deus, com frequência, corta também coisas boas, para torná-las mais sadias. Nem sempre é agradável, mas a poda é absolutamente essencial para o crescimento espiritual. Não é opcional. Lembre-se: Deus é glorificado quando damos "muito fruto" (João 15.8), e isso exige poda. Devemos nos lembrar que as ferramentas estão nas mãos de nosso Deus amoroso. Ele sabe o que está fazendo, e quer para nós o melhor.

Se você é cristão, será podado. Conte com isso. Talvez esteja passando por uma poda agora, que não inclua apenas galhos mortos. Deus corta galhos que achamos produtivos para que haja maior produção de fruto. Isso pode nos deixar confusos. Achamos que estamos sendo fecundos e ficamos assustados, até mesmo frustrados, com a poda de Deus: "Por que estás fazendo isto, Deus? Entreguei os meus negócios a ti, mas estão acabando. Entreguei minha saúde a ti, mas tenho de ir para o hospital na próxima semana. Tenho dado o dízimo fielmente, mas estou falindo". Pode ser uma poda, a poda divina.

Assisti, há algum tempo, a um programa educativo na TV sobre plantas cultivadas dentro de casa. O especialista sugeria aos ouvintes que falassem com suas plantas para ajudá-las a crescer. Explicou que consolar, acariciar e conversar com a trepadeira fortalece a autoestima da planta. Imagine-se dizendo: "Você é uma boa planta. Como está bonita hoje! Está maravilhosa". Agora, imagine-se conversando com uma planta que você está podando: "Isso dói mais em mim do que em você". Tique! "Você vai me agradecer por isso mais tarde!" Tique! "É para o seu próprio bem!" Posso imaginar a planta respondendo: "Você não tem coração. Não gosta de mim. Trabalhei muito para produzir essas rosas que você acaba de cortar".

Não é isso que dizemos a Deus quando ele nos poda: você não me ama, não se importa comigo, não vê o que está acontecendo? E concluímos que ele está zangado conosco. Não, não está zangado. Um dos maiores erros que os cristãos cometem é confundir poda com castigo. Poda não é castigo. Não iguale essas duas medidas. Deus não está zangado com você. Apenas o vê como alguém que pode dar mais fruto, alguém com potencial para ser maior, alguém a quem deseja usar de maneira significativa. Ele quer que você seja tão fecundo quanto possível, por isso poda, até mesmo cortando algumas coisas que abençoou em sua vida. Você perdeu o emprego? Não se preocupe. Deus tem uma ideia melhor. Ele vê o que você não pode ver.

Agora, como Deus nos poda? Ele usa problemas, pressões e pessoas. Ah, e como ele usa as pessoas! As pessoas vão criticá-lo e desafiá-lo, vão questioná-lo e duvidar de você, vão desafiar suas motivações. Deus está usando as pessoas para podá-lo. O que estou dizendo? Estou dizendo o que disse em todo este livro: Deus pode usar cada situação de sua vida para ajudá-lo a crescer, basta apenas assumir a atitude correta. Ele pode usar de tudo: os problemas que você mesmo cria, uma grande decepção, um prejuízo financeiro, uma enfermidade súbita, um casamento que acaba, um filho rebelde, a morte de uma pessoa amada. Ele usará tudo isso como parte do processo da poda para torná-lo ainda mais fecundo.

Por que Deus faz isso? Leia Hebreus 12.11: "Nenhuma disciplina parece ser motivo de alegria no momento, mas sim de tristeza". Todos concordam com isso. Não é agradável passar pela disciplina. O escritor de Hebreus prossegue: "Mais tarde, porém, produz *fruto de justiça e paz* para aqueles que por ela foram exercitados" (grifo do autor). Deus faz isso para nosso próprio bem e não só para sua glória.

Assim como a disciplina, a poda é desagradável. Você já viu uma ameixeira ou uma planta podada? São feias. Há alguns anos, eu tinha 12 eucaliptos em frente de casa com cerca de 20 metros de altura. Por isso, pedi a um homem que viesse cortar as pontas. Ele as cortou muito bem, não deixou nenhum galho! Acabei ficando com 12 "totens" em frente de casa. Alguns de meus vizinhos caçoaram dizendo que um óvni havia jogado esses gigantescos palitos de dentes ali. Acho que algumas pessoas pensaram que estava dando início a algum tipo de culto exótico em frente de casa. As árvores ficaram feias, mas sabe de uma coisa? Depois de podadas, brotaram com mais vigor do que nunca. Agora meu problema é limpar todas aquelas folhas!

A poda nunca é agradável, e não é bonita, mas é para seu benefício futuro. O propósito da poda é positivo. Deus não está zangado com você. A Bíblia diz que não há nenhuma condenação para os que estão em Cristo Jesus (Romanos 8.1). Deus não "pune" seus verdadeiros filhos. O castigo dele foi executado na cruz. Agora, a poda divina é para o seu bem, para que sua vida frutifique mais.

Minha esposa passou por um período de poda severa alguns anos atrás. Ficou doente, teve uma gravidez difícil e ficou de cama durante meses. Foram momentos muito difíceis para a nossa família. Deus cortou todas as atividades na vida de Kay, todas mesmo: a liderança do ministério com mulheres, estudos bíblicos, tudo o que ela amava e gostava de fazer. Até em casa tudo foi podado, porque ela não podia sair da cama. Conversávamos a respeito disso porque a situação não fazia sentido naquele tempo. Nossa igreja estava crescendo rapidamente, e eu precisava da ajuda de Kay. Contudo, foi um valioso tempo de poda. Kay aprendeu muito porque, quando nos deitamos de costas, tudo o que podemos fazer é olhar para cima. Seus frutos nos anos posteriores foram espantosos. Deus abriu novos ministérios e novas oportunidades para ela que nem imaginávamos. Os resultados dessa poda em sua vida foram estimulantes, mas não foi agradável passar por ela.

A poda de Deus pode falhar? Claro que pode, se não cooperarmos. Se resistirmos, nos rebelarmos, nos queixarmos ou ficarmos ressentidos, nosso caráter não se desenvolverá da maneira que Deus pretendia.

Examinamos nove qualidades específicas do caráter que Deus deseja desenvolver em sua vida: amor, alegria, paz, paciência, amabilidade, bondade, fidelidade, mansidão e domínio próprio. Como Deus produz essas qualidades em sua vida? Como disse antes, ele o faz permitindo que você encontre situações e pessoas com qualidades exatamente opostas. Ensina o amor colocando à sua volta pessoas nada amáveis, ensina alegria em meio à tristeza, ensina paciência, permitindo que as situações o frustrem. Deus utiliza todas essas coisas para torná-lo mais fecundo, mas você deve cooperar com ele. A maneira de você expressar essa cooperação é louvá-lo em todas as circunstâncias (1Tessalonicenses 5.18).

Aguarde a colheita

Se eu quiser que minha vida seja frutífera, devo cultivar boas raízes, eliminar as ervas daninhas e cooperar com a poda de Deus, agradecendo-lhe e louvando-o. Também devo *aguardar a colheita*. O crescimento leva tempo, não é instantâneo. Deus leva dois dias para criar cogumelos, mas leva sessenta anos para fazer um carvalho. Você quer ser um cogumelo ou um carvalho? O crescimento leva tempo.

Quando você examinar seu crescimento espiritual, talvez fique imaginando: *Por que está levando tanto tempo para eu me tornar melhor? Sou cristão há dois anos, e não vejo muita diferença. Ainda estou lutando contra muitas das minhas fraquezas. Por quê?* Porque o crescimento espiritual, assim como o biológico, leva tempo. Os melhores frutos amadurecem devagar.

Observe o que Jesus diz em João 12.24. Ele falava de sua morte, mas o princípio aqui se aplica a nós também. Ele disse: "Digo-lhes verdadeiramente que, se o grão de trigo não cair na terra e não morrer, continuará ele só. Mas se morrer, dará muito fruto". Quando Jesus diz: "Digo-lhes verdadeiramente", está dizendo: "Prestem atenção agora! Ouçam!". Ele está dizendo: "Ouçam com atenção. Isso é realmente importante".

O que Jesus destaca aqui é que a morte precede a vida. Exatamente como um grão de trigo tem de morrer para produzir fruto, temos de morrer para nós mesmos e produzir o crescimento espiritual. E sufocar nosso egoísmo leva tempo. Nossa tendência é desencavar a semente periodicamente para verificar seu progresso, em vez de confiar em Deus para realizar sua obra em nossa vida. Cristo produzirá fruto em nossa vida se permanecermos nele. Na passagem da videira e dos ramos em João 15, a palavra-chave é *permanecer*. Temos de *permanecer* nele. Lembre-se dessa palavra. Permanecer em Cristo significa manter contato com ele, depender dele, viver para ele e confiar nele para realizar *sua* obra em nossa vida no *seu* tempo perfeito. Nunca desista. Sempre é cedo demais para desistir! Espere a colheita prometida por Deus e, enquanto isso, desfrute da presença dele em sua vida. Deus se agrada em você, com cada estágio de seu crescimento espiritual. Ele não está aguardando até você ser perfeito em seu crescimento espiritual. Não está aguardando até que você seja perfeito para começar a amá-lo. Ele nunca o amará mais do que ama agora.

Ao examinar todos os capítulos deste livro, você vê algum fruto espiritual em sua vida? Talvez tenha memorizado os nove frutos mencionados em Gálatas 5.22,23. Caso negativo, eu o incentivo a fazê-lo. Pense em como essas qualidades eram percebidas na vida de Jesus e conte com ele para produzi-las em você por meio da obra do Espírito Santo. Se você não está vendo tanto fruto quanto gostaria, não se desespere. Lembre-se de que o crescimento leva tempo. Recomendo que você comece a se concentrar em um aspecto específico do fruto do Espírito por mês no próximo ano. Aproveite este mês para estudá-lo em detalhes. O capítulo 3 do meu livro *12 maneiras de estudar a Bíblia sozinho*[1] explica em detalhes como é possível fazer um estudo bíblico pessoal sobre uma qualidade do caráter.

As quatro atividades esboçadas neste capítulo são as etapas práticas que você deve empregar se quiser pensar com seriedade sobre uma vida cristã produtiva, frutífera. Comece cultivando raízes profundas, dedicando tempo à Palavra de Deus todos os dias. Depois, elimine as ervas daninhas de sua vida que estão

---

[1] Vida, 2005.

consumindo seu tempo e energia e impedindo-o de realizar a vontade de Deus. A seguir, coopere com o Senhor no processo da poda, agradecendo-lhe e louvando-o pelo que ele está fazendo em sua vida. Ele está operando para torná-lo mais fecundo do que você jamais pensou ser possível. Por fim, aguarde ansiosamente pela colheita do fruto espiritual em sua vida. Se você deu os três primeiros passos, a colheita é inevitável!

Em 1968, um cientista descobriu um colar de sementes de 600 anos de idade numa sepultura indígena. Ele plantou uma dessas sementes, que brotou e cresceu. Adormecida por 600 anos, o potencial de vida ainda existia. Talvez você seja cristão há anos e esteve espiritualmente adormecido a maior parte do tempo, mas agora quer ser produtivo, quer ser fecundo. A leitura deste livro é uma prova disso. Tenho boas-novas para você. Não é tarde demais! Você pode começar agora mesmo! Abaixe a cabeça em oração e diga a Deus que você quer cooperar com o plano dele para seu crescimento. Ele providenciará o poder para transformar sua vida!

Leia também...

Uma vida com propósitos
Para que estou na terra?
Rick Warren

1,5 MILHÃO
de cópias vendidas em língua portuguesa, mais de 1,5 milhão de vidas TRANSFORMADAS.

Uma vida moldada por Deus é árvore florescente. Este livro o ajudará a entender o maravilhoso plano de Deus para a sua vida, tanto para hoje quanto para a eternidade.

Uma vida com propósitos é um manual para viver no século XXI um estilo de vida fundamentado nos propósitos eternos de Deus, não em valores culturais. Usando mais de 1.200 citações bíblicas, Rick Warren oferece sabedoria inspirada na essência do que realmente significa viver. Afinal, você foi criado para ser eterno e não está aqui por acaso.

Visite nosso *site* www.editoravida.com.br.

Esta obra foi composta em *Adobe Caslon Pro*
e impressa por Gráfica Santuário sobre papel
Pólen Bold 90 g/m² para Editora Vida.